パムクの文学講義

パムクの文学講義

直感の作家と自意識の作家

オルハン・パムク

山崎暁子［訳］

THE NAÏVE AND THE SENTIMENTAL NOVELIST

by Orhan Pamuk

First published 2010 by Harvard University Press, Cambridge.
This Japanese edition published 2021
by Iwanami Shoten, Publishers, Tokyo
by arrangement with the author
c/o The Wylie Agency (UK) Ltd, London.

目次

第一講　私たちが小説を読むときに頭のなかで起こること……1
第二講　パムクさん、これはすべてあなたの実体験ですか？……27
第三講　キャラクター、プロット、時間……49
第四講　言葉、絵、物……75
第五講　博物館・美術館と小説……103
第六講　中　心……131
結　び　157
訳者あとがき　167

見返し　沈周《廬山高図》（台北　国立故宮博物院蔵）
カバー裏・章タイトル　123RF

私たちが小説を読むときに頭のなかで起こること

小説はもうひとつの人生である。フランスの詩人、ジェラール・ド・ネルヴァルが夢について述べたことが小説にもあてはまります。それは私たちの人生の色合いや複雑さを明らかにしてくれるもので、見おぼえのある人物や顔や物であふれています。まさに夢を見ているときと同じく、小説を読んでいるときにも、そこで起こることの途方もなさに強い衝撃を受けるあまり、自分がどこにいるかを忘れ、目にしている架空のできごとや人びとのただなかに身を置いているかのような感覚をもつことがあります。そんな折には、私たちが遭遇して楽しんでいる虚構の世界は、現実の世界よりもリアルに感じられます。こうしたもうひとつの人生が現実よりもリアルに感じられるということは、多くの場合、私たちが小説に現実の代わりをさせている、あるいは少なくとも、小説を実人生と混同していることを意味します。しかし私たちはこの幻想、この無邪気（ナイーヴ）な見方に文句をつけることはありません。それどころか、ある種の夢を見ているときと同じく、自分が読んでいる小説が続いてほしいと思い、このもうひとつの人生がリアリティーと本物らしさを感じさせ続けてほしいと願うのです。フィクションというものを知っているにもかかわらず、小説が実人生であるという幻想を保てないと私たちは不愉快になり、腹を立てます。

　私たちは夢が現実であるという前提で夢を見ます。それが夢の定義です。同様に、私たちは小説が現実であるという前提で小説を読みます——しかし頭のどこかではその前提が間違っていることもよくわかっています。このパラドックスは小説の性質に起因しています。小説という芸術が、私たちの、相反する状態を同時に信じることができる能力のうえに成り立っていることを強調するところから始めましょう。

　私は四十年間小説を読んできました。小説にたいして多くの立ち位置がありえることを私は認識しています。小説を軽く考えたり、真剣に受けとめたり、魂と頭で小説にどうかかわるかは様々です。同様に、小説の読み方も多数あることを私は経験から学びました。論理的に読むこともあれば、目で読むことも、想像力で読むことも、頭のほんの一部で読むこともあります。自分の読みたいように読むこともあれば、本が求めるやり方で読むことも、自分の全存在を傾けて読むこともあります。若いころ、私は小説に完全に身を捧げて、熱心に――我を忘れるほどに――読みふけっていた時期がありました。十八歳から三十歳までのその年月のあいだ（一九七〇年から一九八二年まで）、私は自分の頭と魂のなかで起こっていることを、画家が山や平原や岩や森や川がひしめく、鮮やかで複雑で生き生きとした風景を正確にくっきりと描き出すように描写したいと思っていました。

私たちが小説を読むとき、頭のなか、魂のなかでは何が起きるのでしょうか？　その内面の動きは、映画を見るとき、絵画を見るとき、詩、ことに叙事詩を聴くときとどのように異なるのでしょうか？　ときに小説は、伝記、映画、詩、絵画、おとぎ話がもたらすのと同じ喜びをもたらすことができます。それでも、この芸術の真の独特な効果は、他の文学ジャンルや映画や絵画とは根本的に異なっています。そして、この違いを示す手始めとして、若いころ、情熱的に小説を読んでいる最中に私がしていたことや、私のなかに呼び起こされた複雑なイメージについてお話ししてみようと思います。

美術館を訪れて、自分が見つめている絵画が視覚を楽しませてくれることを第一に求める鑑賞者のように、私は風景のなかに動きと対立と豊かさがあるのが好きでした。個人の私生活をこっそり観察している感じと、全体の風景のなかの暗い片隅を探索する感じの両方を楽しみました。でも、私の頭のなかのイメージがいつも騒然としたものだったとは思わないでください。

若いころに小説を読んでいたとき、広くて深い、穏やかな景色が心のなかに現れることがありました。光が消え、白と黒がくっきりと分離し、影が動き出すこともありました。ときには、世界全体がまったく異なる光からできているという感覚に驚嘆することもありました。またときには、黄昏の光が広がってすべてを覆い、宇宙全体がひとつの感情、ひとつのスタイルになり、私は自分がこれを楽しんでいることを理解して、まさにこの雰囲気を求めてこの本を読んでいるのだと感じることもありました。小説のなかの世界にゆっくりと引きこまれていくにつれて、イスタンブールのベシクタシュにある実家で腰を下ろして小説のページをひらく前にしたことの名残り——飲み干した一杯の水、母と交わした会話、頭をよぎった考え、抱えていたイライラ——が徐々に薄れていくのがわかりました。

自分がすわっているオレンジ色の肘掛椅子、脇で悪臭を漂わせる灰皿、絨毯の敷かれた部屋、通りでどなりあいながらサッカーをしている子どもたち、遠くから聞こえるフェリーの汽笛が、意識から遠のいていくのを感じました。そして単語のひとつひとつ、一文一文をたどるごとに新しい世界が目の前にひらけていくのを感じたのです。隠された絵が試薬を注ぐことで徐々に現れるように、この新しい世界は一ページ読み進めるたびに輪郭がくっきりしてきます。そして線や影やできごとや主人公に焦点が合うようになります。この幕開きの瞬間には、小説の世界に入るのを遅らせるもの、登場人物やできごとや物をおぼえたり思い描いたりするのを妨げるものすべてが私の気持ちを乱し、苛立たせます。ある人物が主人公の遠縁であることはわかるが関係性が思い出せない、銃の入っている引き出しの位置がはっきりしない、ある会話に二重の意味があることはわかるのだが二つ目の意味がつかめない——こういったことが気になってしかたがありませんでした。そして、熱心に目で言葉を追う一方で、じれったさと快感の入り混じった気持ちで、すべてがただちに腑に落ちることを願っていました。そんなとき、私の感覚の扉は、未知の環境に放り出された臆病な動物の五官のように、可能な限り広く開け放たれ、私の頭はパニックを起こしたときのような速さで働きだしたものです。入ろうとしている世界に波長を合わせようと、手にした小説の細部に全神経を集中させながら、私は想像のなかで言葉を視覚化し、本のなかで描写されているすべてをイメージしようと必死でした。

少しすると、集中して懸命に努力した成果が実り、私が見たかった広々とした景色が、霧が晴れて巨大な大陸が鮮やかに姿を現すように目の前にひらけます。そうすると、小説のなかで物語られているものが、窓から外を見るように快適にやすやすと見えるようになるのです。トルストイの『戦争と平和』で、ピエールが丘の上からボロジノの戦いを見ている場面の描写を読むのは、私にとって小説を読むことのモデルのようなものです。小説が多くの細かい点を巧みにつづりあわせて私たちのために準備していることが感じられ、読んでいるあいだ、それらを頭に入れておく必要があると感じます。これらの細部は、絵画のなかに存在するようにこの場面に現れる感じがして、読者は小説の言葉に囲まれているのではなく、風景画の前に立っているという印象を受けるのです。ここでは、視覚的な細部にたいする書き手の注意、それに、視覚化によって言葉を大きな風景に変換する読者の能力が、決定的な意味をもちます。一方、私たちは広々とした景色、戦場、自然環境ではなく、息の詰まりそうな室内を舞台とする小説を読むこともあります――カフカの『変身』がよい例です。そして私たちは、そういった物語をも、風景を眺めているかのように読みます。それを頭のなかで絵に変え、場面の空気に自分をなじませ、その影響下に身を置き、つねにそれを追い求めることによって読むのです。

再びトルストイから、別の例を見てみましょう。窓から外を見るという行為を取りあげて、どうすれば読書中に小説の風景のなかに入れるかを示したもので、史上最高の小説、『アンナ・カレーニナ』の一場面です。アンナはモスクワで偶然ヴロンスキーと知り合います。夜にサンクトペテルブルグに帰る汽車のなかで、アンナは翌朝、子どもと夫に会えることをうれしく思っています。引用はリチャード・ペヴィーアとラリーサ・ヴォロホンスキーによる翻訳からのものです。

アンナは(…)ハンドバッグからペーパーナイフとイギリスの小説を取り出した。はじめのうちは読むことができなかった。まずは混雑と喧騒で気が散った。列車が動き出すと、騒音を聞かずにはいられなかった。それから、左手の窓に吹きつけてガラスにはりつく雪、着ぶくれて片側だけ雪まみれで通り過ぎる車掌の姿、外のひどい雪嵐について話す声が、アンナの注意をそらした。その先も同じだった。同じ振動、窓の雪、湯気の立つ暑さから突然寒さへ、そしてまた暑さが戻る繰り返し、薄暗がりに一瞬浮かびあがる同じ顔、同じ声。アンナは自分が読んでいる内容を理解し始めた。(…)アンナ・アルカジエヴナは読んで理解したが、読むこと、つまり、映し出された他人の人生を追うのは不快だった。自分が生きたくてしょうがなかったのだ。小説のヒロインが病気の男を介抱するくだりでは、その病人の部屋を忍び足で歩き回りたくなった。国会議員が演説する場面では、自分がその演説をしたくなった。レディー・メアリーが義理の妹をぎょっとさせようと猟犬たちの後について馬を駆り、その大胆さでみなを驚かす一節を読むと、アンナはそれをしたくなった。しかし実際には何もすることがなかったので、アンナは小さな手で滑らかなナイフをもてあそびながら、自分に読むことを強いた。

アンナはヴロンスキーのことを考えずにいられないせいで、自分が生きたいせいで、読書に身が入りません。もし彼女が小説に集中することができたなら、レディー・メアリーが馬にまたがって猟犬の群れと狩りをするのを容易に想像できたでしょう。その場面を、窓から外を見るように視覚化して、自分が外から観察しているこの場面にゆっくり入っていくように感じたことでしょう。

たいていの小説家は、小説の冒頭部分を読むことは風景画のなかに入ることに似ていると感じています。スタンダールが『赤と黒』をどのように始めているかを思い出してみましょう。私たちはまず遠くからヴェリエールの町を見ます。町の位置している丘、赤い瓦のとんがり屋根の白い家々、茂った栗の木立、町の崩れた城砦。その下をドゥー川が流れています。それから私たちは製材所と色鮮やかなプリント生地を製造する工場に気づきます。

たった一ページのうちに、私たちは主要登場人物の一人である町長を知り、その思考回路に同化します。小説を読む真の楽しみは、その世界を外からではなく、そこに住む主人公たちの目を通して見る能力から始まります。小説を読むとき、長い期間と一瞬のあいだ、一般的な考えと個々のできごとのあいだを私たちは揺れ動き、そのスピードはほかの文学ジャンルにはありえないものです。遠くから風景画を眺めていると、不意に自分がその風景のなかにいる個人の考えや気分の微妙な色合いのただなかにいることに気づきます。これは、中国の風景画のなかにいる、岩山や川や葉の生い茂る木々を背景に描かれた小さな人物を眺めるのと似ています。私たちは人物に焦点を合わせ、彼の目に映る周りの景色を想像しようとします(中国の絵画はこのように読まれるべく設計されているのです)。すると私たちは、その風景が内部にいる人物の考えや感情や五感を反映するように構成されていることを実感します。同様に、小説のなかの風景が主要人物たちの精神状態の延長であり一部であることを感じとるにつれて、自分たちが知らず知らずのうちにこれらの人物と同化していることに気づきます。小説を読むということは、全体の文脈を記憶にとどめつつ、主要人物たちの考えや行動をひとつひとつ追い、全体の風景のなかでそれに意味を与えていく行為なのです。私たちはいま、ついさっきまで外から眺めていた景色のなかにいます。山々を心の目で見るにとどまらず、川の涼しさを感じ、森のにおいをかぎ、主要人物たちに話しかけ、その小説の宇宙に分け入っていきます。小説の言葉の助けを得て、私たちは隔たった別々の要素を結びつけ、主要人物たちの顔と考えの両方をひとつの景色の一部として見ることができるのです。

小説に没頭しているとき、私たちの頭は懸命に働きますが、それは雪にまみれた騒々しいサンクトペテルブルグ行きの列車にすわっているアンナの頭の働き方とは異なります。風景、木々、主要人物たち、彼らの考え、彼らが触れる物のあいだを、私たちは絶えず揺れ動きます。物からそれが喚起する記憶へ、他の主要人物へ、それから一般的な考えへと移っていきます。私たちの頭と五感はものすごい集中力と速さで稼働し、多数の作業を同時にやってのけますが、たいていは自分が作業をしていることにもはや気づきもしません。車を運転している人とまさに同じ状態です。意識することなくシフトレバーを動かし、ペダルを踏み、多くの規則にも従いつつ注意深くハンドルを切り、道路標識を読んで解釈し、運転するかたわら、交通にも気を配っています。

　ドライバーのたとえは読者だけでなく小説家にも当てはまります。一部の小説家は自分が用いているテクニックに無自覚です。彼らは本能的に書きます。自分の頭のなかで行っている操作や計算を自覚せず、小説芸術が与えてくれるギアやブレーキやレバーを使っていることを忘れて、まったく自然な行為をしているかのように書くのです。この種の感性、この種の小説家と読者——つまり、小説を書くことや読むことの人為的な側面にまったく注意を払わない人びと——を言い表すのに「直感的（ナイーヴ）」という言葉を使うことにしましょう。そしてその正反対の感性を言い表すのに「思索的（リフレクティヴ）」という言葉を使うことにしましょう。こちらは、テクストの人為性やテクストがリアリティーを獲得できない事例に惹きつけられ、小説を書くのに使われる手法や読書中の頭の働き方に注目する読み手や書き手のことです。小説家であるということは、同時に直感的でもあり思索的でもあるという技なのです。

　あるいは、直感的（ナイーヴ）であると同時に「センチメンタル」でもあること、とも言えます。この区別を初めて提案したのはフリードリヒ・シラーで、有名な論文“Über naive und sentimentalische Dichtung”（「ナイーヴな詩とセンチメンタルな詩について」一七九五―九六年〔邦訳「素朴文学と情感文学について」〕）においてでした。シラーはドイツ語の「ゼンティメンターリッシュ」を、子どものような性質と無邪気（ナイーヴ）さを失った、思索的で悩み多い近代の詩人を言い表すのに使っており、英語の「センチメンタル」とは意味が異なります。しかしこの言葉に時間を割くのはやめておきましょう。シラーはどのみち、この言葉をローレンス・スターンの『センチメンタル・ジャーニー』に触発されて英語から借用したのです（直感的（ナイーヴ）で子どものような天才の例をあげる際、シラーは敬意をこめてスターンの名をあげ、ダンテ、シェイクスピア、セルバンテス、ゲーテ、それにデューラーとも並べています）。私たちとしては、シラーが「ゼンティメンターリッシュ」という言葉を、自然の単純さと力からそれて、自身の感情や考えで手いっぱいになっている精神状態を指すのに使っていることをおぼえておけばそれで十分です。ここでの私の目的は、若いころから愛読してきたシラーの論文をより深く理解することであるとともに、（いままでずっとしてきたように）この論文を通して小説芸術についての自分の考えをはっきりさせること、さらに（まさにいま取り組んでいるように）その考えを正確に表現することです。

　トーマス・マンが「ドイツ語で書かれたもっとも美しい論文」と評したこの有名な文章において、シラーは詩人を二つのグループに分けています。すなわち、直感（ナイーヴ）の詩人と自意識（センチメンタル）の詩人です。直感の詩人は自然と一体です。実際、彼らは自然に似て、穏やかで残酷で賢いのです。彼らは本能的に詩を書きます。ほとんど考えることなく、自分の言葉が及ぼす知的・倫理的影響を慮ったりせず、他人の反応を気にすることもありません。現代の作家とは対照的に、彼らにとって詩とは、自然がまったく有機的な作用として自分に押印した、消えることのないしるしのようなものです。直感の詩人は自身も自然界の一部で、詩はそこからひとりでにやってくるのです。詩とは、詩人が考え抜いて自力で生み出すものではない、特定の韻律で組み立て、推敲と自己批判を通して形づくるのではなく、深く考えずに書かれるべきものであり、さらには、自然か神か、ほかの何らかの力によって口授されるかもしれないものであるという信念――このロマン主義的な概念は、ドイツ・ロマン主義の献身的な追随者であるコールリッジによって唱えられ、彼の詩「クブラ・カーン」につけられた一八一六年の序文にはっきりと述べられています(私の小説『雪』の主人公である詩人のカーは、コールリッジ―シラーの影響を受け、詩にたいする同様の直感的な見解をもって詩を書きました)。シラーの論文を読むたびに感銘を受けるのですが、そこに示された直感の詩人を特徴づける性質のうち、私がとくに強調したいものがあります。直感の詩人は、自らの発言や言葉や詩が全体的な風景を描き出し表象すること、世界の意味を適切に、また余すことなく表現し、明らかにすることを疑いません――なぜなら、世界の意味は直感の詩人にとって手の届かないものではなく、隠されてもいないからです。

対照的に、シラーによれば、(感情的で思索的な)自意識(センチメンタル)の詩人はとりわけある一点について不安を感じています。すなわち、自分の言葉がリアリティーを包みこめるか、そこに到達するか、自分の発話が意図した意味を伝えられるか確信がもてないのです。したがって彼は自分の書く詩に、用いる手法やテクニックに、自分の企てに含まれるしかけに、並々ならぬ意識を働かせています。直感の詩人は自分が認識する世界と世界そのものをあまり区別しません。しかし、近代の思索的な自意識の詩人は、自分の認識するすべてに、自分の五官にさえも疑問を呈し、自分の認識を韻文に彫琢する際には、教育的・倫理的・知的方針を気にします。

シラーの有名な、そして私の思うにとても楽しめる論文は、芸術と文学と人生の相関関係についてじっくり考えたい者にとって魅力的な源泉です。若き日の私は、この論文を幾度となく読み返し、そこに示されている例や論じられている詩人のタイプ、本能的に書くことと知性の助けを借りて意識的に自覚をもって書くことの違いについて考えました。論文を読みながら、もちろん私は小説家としての自分について、小説を書いているときに自分が経験する様々な気分についても考えました。そして、その数年前に絵を描いていたときに感じたことを思い出しました。七歳から二十二歳まで、私はいつか画家になりたいという夢をもって、継続的に絵を描いていたのですが、直感（ナイーヴ）の芸術家の域を出ることはなく、たぶんそれに気づいて絵をやめました。当時も、私はシラーが「詩」と呼んでいるものは広い意味での芸術と文学だと考えていました。今回の講義においても、ノートン・レクチャーズの精神と伝統にのっとって同様のとらえ方をすることにします。シラーの濃密で刺激的な作品は、私が小説芸術について熟考する旅の供となり、「直感（ナイーヴ）」と「自意識（センチメンタル）」のあいだを慎重に揺れ動いていた若き日のことを折にふれて思い出させてもくれることでしょう。

実のところ、シラーの論文の主題は、あるところまでくるともはや詩だけに限られず、芸術や文学全般とも言えなくなり、人間のタイプについての哲学的なテクストになります。テクストがドラマ性においても哲学性においても最高潮に達するこのくだりで、私はシラーの個人的な考えや意見を行間から読みとって楽しみます。「人間性には二つの異なるタイプがある」とシラーが言うとき、ドイツ文学史の研究者によれば、彼が言いたいのは「ゲーテのような直感的(ナイーヴ)な人びとと私のような自意識的(センチメンタル)な人びとだ」ということでもあるのです！　シラーはゲーテの詩の天分だけでなく、その落ち着き、気取りのなさ、自己中心性、自信、貴族的な精神をもうらやみました。偉大で輝かしい考えが苦もなく湧いてくること、自分自身でいられる能力、単純さ、謙虚さ、天才、そしてまさに子どものように、こういったことすべてに無自覚でいられること。対照的に、シラー自身ははるかに思索的かつ知性的で、文学的活動においても複雑で悩みが多く、自身の文学的手法に自覚的で、それについて疑念や迷いを抱えていました――そして、このような姿勢や特徴はより「近代的」であると感じていました。

三十年前、「ナイーヴな詩とセンチメンタルな詩について」を読んでいるあいだ、私も――シラーがゲーテに憤るのとちょうど同じように――自分の上の世代のトルコの小説家たちの直感的(ナイーヴ)で子どものような特質に文句を言っていました。彼らはいともたやすく小説を書き、文体や技巧といった問題を気にかけなかったのです。そして私は「直感的」という言葉を(否定的な意味で使うことが増えていったのですが)、トルコの作家だけでなく、十九世紀のバルザック的な小説を自然なものとみなして疑問をもたずに受け入れる世界中の作家にあてはめました。いま、三十五年間を小説家として過ごすという冒険を経て、私は自分自身の例を使って続きを考えようと思います。自分のなかの直感の小説家と自意識の小説家の均衡を見出したと自分を納得させようとしている段階ではありますが。

さきほど、小説に描かれている世界について述べる際、私は風景のたとえを使いました。さらに私は、小説を読んでいるときの頭の働きを自覚していない人もいて、それは車を運転しているときに自分のしている操作を意識していない人と似ているとも述べました。直感の小説家、直感の読者は、車が風景のなかを移動する際に、窓から見える土地や人びとを理解できていると本気で信じる人びとに似ています。そして、このタイプの人は車窓から見える景色の力を信じているために、そのなかの人びとについて語ったり、自意識的で思索的な小説家がうらやむような意見を表明したりし始めるかもしれません。それにたいして、自意識的で思索的な小説家は、車窓からの景色には窓枠という制限があるし、そもそも窓ガラスには泥がついていると言って、ベケット的沈黙に引きこもるでしょう。あるいは、私や現代の他の多くの純文学作家と同じく、私たちの見るものが小説の視点の制約を受けていることを忘れることがないように、ハンドルやレバーや泥のついた窓やギアをその場面の一部として書きこむでしょう。

たとえに心を奪われシラーの論文に誘惑される前に、私たちが小説を読むときに頭のなかで起こるもっとも重要な動きを念のため列挙しておきます。小説を読むことは必ずこれらの操作を伴いますが、「自意識的(センチメンタル)」な精神をもつ小説家のみがこれらを認識し、詳細な目録を作ることができます。そうしてできたリストは、小説の正体――私たちが知っているが忘れてしまっているかもしれないもの――を思い出させてくれるでしょう。以下が、私たちが小説を読む際に頭が行っていることです。

一、私たちは場面全体を観察し、物語をたどります。セルバンテスの『ドン・キホーテ』についての著作において、スペインの思想家であり哲学者であるホセ・オルテガ・イ・ガセットが述べるところによると、私たちは冒険小説、騎士物語、三文小説(探偵物、恋愛小説、スパイ物などがこのリストに加えられます)を、次に何が起きるか知りたくて読みますが、近代小説(私たちが「純文学」と呼ぶもののことです)は雰囲気を求めて読みます。オルテガ・イ・ガセットによれば、雰囲気小説にはより価値があります。それは「風景画」のようなものであって、物語はほんの少ししか含まれていません。

しかし私たちは小説を――物語とアクションの多い小説であろうと、風景画のように物語性のまったくない小説であろうと――つねに同じ基本的姿勢で読みます。一般的なやり方は、物語を追い、私たちが出会うものが示唆する意味や主題を読みとろうとするというものです。たとえ小説が、まさに風景画のように、多くの木の葉を一枚一枚描写して、できごとはひとつも語らない（アラン・ロブ＝グリエやミシェル・ビュトールらによるフランスの新しい小説（ヌーヴォー・ロマン）に使われるようなテクニック）としても、このやり方で語り手は何を言おうとしているのだろうか、これらの葉は最終的にどんな物語を形づくるのだろうかと私たちは考え始めます。私たちの思考は、動機、考え、目的、隠れた中心を探し求めてやまないのです。

二、私たちは言葉を頭のなかの映像に変換します。小説は物語を語りますが、物語のみではありません。物語は、たくさんの物、描写、音、会話、空想、記憶、情報の断片、考え、できごと、場面、瞬間から、少しずつ浮かびあがってきます。小説から快楽を得るということは、言葉から出発して、これらのものを頭のなかで映像に変換する行為を楽しむことです。言葉が語りかけてくること（語ろうとしていること）を想像のなかで映像化する作業を通して、私たち読者が物語を完成させます。その際には、本が何を言っているのか、あるいは語り手が何を言いたがっているのか、何を言おうと意図しているのか、語り手が何を言っていると私たちは推測するのかを探ることによって——言いかえれば、小説の中心を探し求めることによって——私たちは想像を膨らませるのです。

三、頭の別の部分では、作家が語る物語のどこまでが実体験でどこまでが空想なんだろうと私たちは考えています。とくに、小説が不思議さ、感嘆、驚きを感じさせるくだりではこの疑問が湧いてきます。小説を読むことには疑問符がつきもので、本にどっぷり浸っている瞬間さえ例外ではありません。つまり、この話のどこまでが空想でどこまでが実話なのか、という疑問です。一方には小説に没頭してその世界が現実だと直感的（ナイーヴ）に考える体験、他方にはそこに含まれる空想の度合いを知りたいと思う自意識的（センチメンタル）で思索的な好奇心があり、その二つのあいだには論理的な矛盾があります。しかし、小説芸術の尽きることのない力と活気は、小説に特有の論理から、また、この種の葛藤をよりどころとするところから発しています。小説を読むということは、世界を非デカルト的論理で理解することを意味します。非デカルト的論理による理解とはつまり、矛盾する複数の考えの存在を同時に、ゆるぎない確信をもって信じる能力のことです。このようにして、現実の第三の次元が私たちのなかに徐々に立ちあがってきます。その次元こそが小説の複雑な世界です。その諸要素は互いに対立していますが、同時に受け入れられ、描写されるのです。

四、それでも私たちは疑問を抱きます。現実はこうだろうか？　小説のなかで語られ、見られ、描写されているものは、自分の人生から知っていることと合致しているだろうか？　たとえば、私たちは自分にこんな問いかけをします。一八七〇年代、モスクワ発サンクトペテルブルグ行きの夜行列車の乗客は、小説が読める程度の快適さと静かさが容易に得られたのか、それとも作者は、アンナが気の散る騒音のなかでさえ読書をしたいと思う真の本好きだと示そうとしているのか？　小説家の技の中心にあるのは、私たちが日常の体験から集める知識は、適切な形が与えられれば、現実についての貴重な知識になりうると考える楽観主義です。

五、このような楽観主義の影響のもと、私たちはたとえの正確さ、空想と物語の力、文の積み重ね、文章のひそやかで率直な詩情と響きを評価し、そこから快楽を引き出します。文体の問題と快楽は小説の中心にあるわけではありませんが、かなり近いところにあります。しかし、この魅力的なトピックを考察するには数多くの実例を見ていくしかありません。

六、私たちは主要登場人物たちの選択とふるまいの両方について道徳的な判断を下します。同時に、作者が登場人物について下す道徳的判断から、作者についても判断します。道徳的判断は小説において避けることのできない泥沼です。小説芸術は、人を裁くことではなく理解することを通して、もっともすばらしい成果をあげるのだということを常におぼえておき、自分の頭の、人を裁きたがる部分に支配されないように気をつけたいものです。私たちが小説を読むときには、道徳心は風景の一部であるべきで、私たちの内側から発して登場人物を標的にするようなものであってはならないのです。

七、自分の頭がこれらのことを同時に行うと、私たちは知識と深みと理解に達したことに喜びを感じます。とりわけ、文学性の高い小説においては、自分がテクストとのあいだに構築する濃密な関係は、私たち読者にとって個人的な成功のように思われます。その小説は自分のためだけに書かれたのだという甘美な幻想が少しずつ育まれます。作者と私たち自身のあいだに育つ親密さと信頼のおかげで、本のなかで理解できない箇所、私たちが反対するもの、受け入れがたいと思うものを避けやすくなり、また、そのことについてあまり悩まなくてすむのです。このように、私たちはつねにある程度小説家と共謀関係になります。小説を読みながら、私たちの意識の一部は忙しく働いて、隠したり、黙認したり、形づくったり、この共謀関係を強める肯定的な特質を構築したりします。物語を信じるために、私たちは語り手が望むほどには語り手を信じないことを選びます——なぜなら私たちは、作者の意見や性向や強迫観念に気に入らない部分があっても、忠実に物語を読み続けたいからです。

八、頭のなかでこのような活動が行われているあいだ、私たちの記憶は集中して絶え間なく働いています。作者が見せてくれる宇宙に意味を見出し、読む快楽を得るためには、小説の隠れた中心を探さねばと私たちは感じ、それゆえに、木のすべての葉一枚一枚をおぼえこむかのように、小説のありとあらゆる細部を記憶にとどめようとします。作家が不注意な読者を助けるために小説の世界を単純化し薄めているのでない限り、すべてをおぼえるのは難しい仕事です。この難しさは小説の形の境界を定めてもいます。小説は、読むというプロセスのあいだに集めるすべての細部を私たちがおぼえていられる程度の長さでなければなりません。なぜなら、風景のなかを動くあいだに出会うあらゆるものの意味は、私たちがすでに遭遇したほかのすべてのものとかかわっているからです。うまく構成された小説においては、何もかもがほかのすべてのものとつながっており、この関係性の網全体が本の雰囲気を醸し出すと同時に、その隠れた中心を指し示してもいるのです。

九、私たちは細心の注意を払って小説の隠れた中心を探し求めます。直感的(ナイーヴ)に無自覚な場合でも、自意識的(センチメンタル)に思索的な場合でも、私たちが小説を読む際には、頭のなかでこの作業をしていることがもっとも多いのです。小説を他の文学的な物語と区別する特徴は、隠れた中心をもっていることです。あるいは、より正確に言えば、私たちは小説には読みながら探すべき中心があるという確信をもっており、小説はそれに頼っています。

小説の中心は何でできているのでしょうか？　小説を作りあげるすべてのものでできている、と答えることができるでしょう。しかし、どういうわけか、この中心は自分が一語一語たどっている小説の表面からは遠いところにあると私たちは確信しています。それはどこか背景にあるもの、目に見えず、探し出すのが難しく、とらえどころがなく、動的と言ってもよいものだろうと私たちは想像します。この中心を指し示すものはいたるところにある、この中心が小説のすべての細部、全体の風景の表面で自分が出会うすべてのものをつなぐのだと私たちは楽観的に考えます。この講義において、私はこの中心がどの程度実在していてどの程度架空なのかを論じるつもりです。

小説には中心があると知っている――あるいは想定している――ため、読者としての私たちは、葉っぱや折れた小枝のひとつひとつをしるしとしてとらえ、風景のなかを進みながらそれらを入念に調べる狩人と、まさに同じように行動します。新しい言葉、物、人物、主人公、会話、描写、細部のひとつひとつ、小説の言語的・文体的特徴や物語の意外な展開のすべてが言外の意味をもち、すぐにわかること以外の何かを指し示しているのを感じながら、私たちは前進します。小説に中心があるというこの確信によって、私たちは、無関係に見える細部に重大な意味があるのかもしれない、小説の表面にあるすべてのものの意味はまったく違うのかもしれないと感じます。小説は罪悪感、猜疑心、不安といった感情にひらかれた物語です。小説を読むときに私たちがもつ深さの感覚、本の三次元の宇宙に没入するという幻想は、実在のものであれ架空のものであれ、中心が存在していることに起因します。

叙事詩や中世の騎士物語や伝統的な冒険物語と小説を区別する主要なものは、中心というこの概念です。小説は叙事詩よりもはるかに複雑な人物を提示します。日常の人びとに焦点をあて、日常生活のすべての面を探ります。しかし、小説がこのような性質や力をもつのは、背景のどこかに中心があるから、私たちがそう願いながら小説を読むからです。小説が人生のありふれた細部や私たちのちっぽけな空想や日々の習慣や慣れ親しんだ物を示すなかで、私たちは好奇心に駆られ——というより、驚嘆しながら——読み進めます。なぜなら、そういったものがもっと深い意味を、背景のどこかにある目的を、指し示していることを知っているからです。背後に意味が隠されているがゆえに、風景全体の個々の特徴、葉っぱや花のひとつひとつが興味深く、魅力的なのです。

小説は現代の人びとに、それどころか全人類に語りかけることができます。それは、小説が三次元のフィクションだからです。小説は個人の体験について、五官を通して私たちが得る知識について語ることができると同時に、もっとも深いこと——中心とも言いかえられ、あるいはトルストイが「人生の意味」と呼ぶもの(あるいは他のどんな表現であっても)、私たちが存在すると楽観的に考えている、到達するのが難しいあの場所——についての知識の断片、洞察、手がかりを提供することができます。哲学の難解さにも、宗教の社会的圧力にも耐える必要に迫られずに——そして自分の体験を土台として、自分の知性を使って——世界と人生のもっとも深い、もっとも大切な知識に達するという夢は、非常に平等主義的で、非常に民主主義的な望みです。

まさにこの望みをもって、私は十八歳から三十歳までのあいだ、ものすごい集中力で小説を読みました。イスタンブールの自分の部屋にすわりこんで読んだどの小説にも宇宙がありました。それは、どんな百科事典や博物館にも劣らない生き生きとした細部に富み、私自身の存在と同じくらい人間味にあふれ、小説以外では哲学や宗教にしか見出されないほどに深くて広い要求や慰めや約束に満ちていました。私はほかのすべてを忘れ、世界について知識を得るため、自分を構築し自分の魂を形づくるために、いわば夢見心地で小説を読んだのです。

E・M・フォースターは、この講義に折にふれて登場することになりますが、『小説の諸相』において「小説を最後に試すものは私たちの小説にたいする愛情である」と述べています。私にとっては、小説の価値は、直感的(ナイーヴ)に世界に投影することもできるような中心の追求へと人を駆り立てる力にあります。わかりやすく言うと、その価値の実際の尺度は、「人生とはまさにこのようなものだ」という感覚を呼び起こす力をその小説がもっているかどうかです。小説は人生についての私たちの主要な考えに焦点をあてるべきで、そういうものだという想定のもとに読まれるべきものです。

隠れた意味または失われた価値の追求や発見に適したその構造のため、小説芸術の精神と形式にもっとも似つかわしいジャンルは、ドイツ人が言うところの教養小説(ビルドゥングスロマン)、あるいは「自己形成小説」であり、若い主人公が世界について知るにつれて成長し、学び、成熟する過程を描くものです。若いころ、私はそのような本(フローベールの『感情教育』、マンの『魔の山』)を読んで自分を教育しました。徐々に私は、小説の中心が提示する基本的な知識が見えるようになりました――世界はどんな場所なのか、また人生とはどんなものなのかについて、小説の中心に限らずいたるところから学びました。これはおそらく、すぐれた小説の一文一文が、この世界に存在することの意味について深く本質的に悟ったという感覚を引き起こし、その感覚の性質をも意識させるためです。この世界における私たちの旅、都市や通りや家や部屋や自然のなかで私たちが過ごす人生は、存在するかもしれずしないかもしれない隠れた意味を探し求めることにほかならないということも私は学びました。

　今回の連続講義において、私たちは小説がこうした重責のすべてをどのようにして担うことができるのかを探っていきます。小説を読みながら中心を探す読者のように、あるいは好奇心と誠実さと信念をもって人生の意味を探し求める教養小説（ビルドゥングスロマン）の無邪気（ナイーヴ）な若い主人公のように、私たちは小説芸術の中心をめざしてみましょう。私たちが進んでいく広い風景は、作者へ、フィクションと虚構性という概念へ、小説の登場人物（キャラクター）へ、物語のプロットへ、時間の問題へ、物へ、見ることへ、博物館・美術館へ、さらにまだ予想できない場所へと、私たちを連れていくことでしょう——たぶん実際の小説とまったく同じように。

パムクさん、これはすべてあなたの実体験ですか？

小説への愛を育むこと、小説を読むという習慣を身につけることは、デカルト的な世界から逃れたいという欲求の表れです。デカルト的世界とは、体と頭、論理と想像が対置される、中心がひとつしかない世界です。小説は特異な構造をもっており、居心地の悪さを感じずに頭のなかに矛盾する考えをもつこと、異なる視点を同時に理解することを可能にします。前回の講義で私はこのことに触れました。

ここからは、私の信念のうち二つについてお話ししようと思います。ともに強固で、相反する信念です。でもまずは、背景をはっきりさせておきましょう。二〇〇八年に私はトルコで『無垢の博物館』というタイトルの小説を出版しました。この小説では、（いろいろなことがあるなかで）ケマルという男の行動と感情が描かれていますが、この男は恋愛感情にはまり、取り憑かれています。出版後まもなく、ケマルの恋が非常にリアリスティックに描かれていると思ったらしい多くの読者から、次の質問が寄せられるようになりました。「パムクさん、これはすべてあなたの実体験ですか？　パムクさん、あなたはケマルですか？」

さて、ここで私の矛盾する二つの答えを示すことにしましょう。私はどちらも心から信じています。

一、「いいえ、私は主人公のケマルではありません」

二、「でも、私がケマルでないということを小説の読者に納得させることはけっしてできないでしょう」

二つ目の答えの示唆するところは――小説家にはよくあることですが――私と主人公を同一視すべきではないということを読者に納得させるのは難しいだろうということです。同時に、私は自分がケマルでないことを証明するために骨を折るつもりがあまりないということも意味しています。実際、私は自分の読者が――直感的（ナイーヴ）で気取らない読者と言っていいでしょう――ケマルは私だと考えるだろうと十分承知しながらあの小説を書きました。さらに言えば、頭の片隅には、自分がケマルだと読者に考えてもらいたがっている私もいました。言いかえれば、私は自分の小説がフィクションとして、想像の産物として受け取られることを意図していましたが、主要人物たちと物語が本物だと読者に信じてほしいとも考えていました。そして、このような相反する望みを抱くことにかんして、偽善的だとかペテン師のようだなどとはまったく感じませんでした。私は経験を通じて、小説を書くという技は、これらの矛盾する欲求を深く感じつつも、動じることなく落ち着いて書き続けることだと学んだのです。

ダニエル・デフォーは『ロビンソン・クルーソー』を出版したとき、この物語が自分の空想から生まれたフィクションであるという事実を隠しました。彼はそれが実話だと主張し、その後、自分の小説が「嘘」であることが明らかになるとまごついて、自分の物語の虚構性を認めました――限られた範囲だけでしたが。何百年にもわたって――『ドン・キホーテ』や、それどころか『源氏物語』にまでさかのぼるころから、『ロビンソン・クルーソー』、『白鯨』、そして今日の文学に至るまで――作者と読者は小説の虚構性の性質について、何らかの合意に達しようと努めてきましたが、成功を収めてはいません。

これは、合意に達してほしいと私が思っているという意味ではありません。その反対で、小説芸術の力の源は、作者と読者のフィクションにかんする理解が完全には一致していないことにあります。読者と作者は、小説はまったくの想像でもなく完全に事実に基づいているわけでもないということを認識し、合意しています。しかし、一語ずつ、一文ずつ小説を読み進めるにつれて、この認識は問いかけに変わり、要所要所に向けられる強い好奇心に変化します。明らかに作者はこれに類することを体験したに違いないが、たぶん誇張や想像も入っているのではないか、と読者は考えるのです。あるいは逆に、作者は実際に体験したことについてしか書けないと決めこんで、作者の「実像」を想像し始めるかもしれません。直感性(ナイーヴさ)の度合いとその本にたいする気持ちに応じて、読者は手にしている小説における現実と想像の混ざり具合について、相反する考えをもつこともありえます。実際、同じ小説を別のときに読んだ場合、読者は、小説が実際に起きたことにどこまで忠実なのか、どこまでが想像の産物なのかについて、相容れない意見をもつかもしれません。

小説のどの部分が実体験で、どの部分が想像かを考えることは、小説を読む楽しみのひとつにすぎません。これと関係して、小説家が自分の実体験が想像の産物だと、あるいは作りあげた物語が実話だと私たちに信じさせるために序文や本の表紙やインタビューや回顧録で言っていることを読むとき、別の楽しみが生まれます。多くの読者同様、私はこうした「メタ文学」を読むのを楽しみます。それは理論の形をとることも、形而上学や詩の形をとることもあります。小説家が自分の作品の正当性を示すために用いる主張や弁明、独特な言葉遣い、不誠実さ、はぐらかし、不整合、借り物の形式や典拠は、ときに小説そのものと同じくらい雄弁です。同様に、小説が読者に与える影響を部分的に形づくるものとして、批評家が新聞や雑誌で小説を評する言葉や、作者自身が小説の受容のしかた、読み方、楽しみ方をコントロールし操作しようとして発する言葉もあります。

デフォー以来の三百年間に、小説という芸術が根づいた場所ではどこでも、詩をはじめとする他の文学ジャンルに取って代わりました。そして小説はまたたく間に支配的な文学形式となり、世界中の社会に、私たちが今日合意している(あるいは合意がないことにかんして合意している)フィクションの概念を徐々に広めていきました。映画産業は小説によって育まれ広まったフィクションの概念のうえに築かれました。二十世紀になると、今度は映画産業が、このフィクションの概念を私たち全員がいまや受け入れているものに、あるいは少なくとも受け入れていると思われるものに変えました。この過程は、ルネサンス期に発展した、遠近法に基づく絵画芸術が(写真の発明と複製技術に後押しされて)四世紀のあいだに世界中で支配的な地位を確立したやり方になぞらえることができます。一握りの十五世紀イタリアの画家たちと貴族たちが世界を見て描いた方法が、他の見方や描き方に取って代わって、いまやいたるところで規範として受け入れられているのとまさに同じように、小説と大衆向けの映画によって広められたフィクションの概念は、世界中で自然なものとして受け入れられ、その歴史的起源の詳細はおおかた忘れられています。これが私たちの現状です。

イングランドとフランスにおいて小説がどのようにして生まれ、フィクションの概念がこの両国でどのように確立したかについては、私たちはすでにある程度知っています。しかし、小説芸術をこれらの国から輸入した作家たちによる発見や解決策——とりわけ、西洋で認められたフィクションの概念を彼らが自分たちの読者層や自国の文化に合わせてどのように変えたか——についてはそれほどよく知られていません。これらの問題の中心、そして生み出された新しい声や形式の中心には、西洋の虚構性の概念が、土地土地の文化に合わせて創造的に現実的に変わっていった過程があるのです。禁止令やタブーや権威主義的な国家による抑圧と闘わざるをえない状況に置かれた非西洋の作家たちは、大っぴらには口に出せない「真実」を語るために、小説の虚構性という概念を借りてきて使いました——まさに以前、西洋で小説が使われていたのと同じように。

これらの作家たちが、自分の作品はまったくの想像の産物であると述べたとき——自分の物語は「まったくの真実」であるというデフォーの主張の逆です——彼らはもちろん、デフォーと同じく嘘をついていました。しかし彼らの主張は、デフォーとは違って読者を欺くためのものではなく、本を発禁処分にして作者を罰するかもしれない政権から自分を守るためのものでした。その一方で、これらの作家たちはある特定のやり方で理解されたい、読まれたいと思っていました。そこでインタビューや序文や本の表紙の宣伝文では、自分の小説は実は「真実」

を語っているのだ、「現実」について書いてあるのだとほのめかし続けました。やがて、スタンスの矛盾とそこから生じる偽善という道徳的な重荷を払いのけるために、非西洋の小説家のなかには、自分が述べたことを心から信じるようになる者さえ出てきました。管理社会においては、このような政治的必然性に迫られた反応や駆け引きの結果として、独自の声と小説の新しい形式が出現しました。ここで私が念頭に置いているのは、ミハイル・ブルガーコフの『巨匠とマルガリータ』、サーデグ・ヘダーヤトの『盲目の梟』、谷崎潤一郎の『痴人の愛』、アフメト・ハムディ・タンプナルの『時間調整機構』であり、どの作品もアレゴリーとして読むことができます。

非西洋の小説家たちは——たとえばロンドンやパリで小説が達した高い芸術的水準に倣いたいと願い、しばしば自国で広く受け入れられている種類のフィクションに対抗しようとして(おそらく「ヨーロッパではもうこんなふうには書かない」と言って)——小説の最新の形式、フィクションの最新の概念を自分たちの国で使い、応用し、効力を発揮させたいと考えました。同時に、彼らは虚構性を国家の抑圧にたいする盾として使いたかったのです(おそらく「私を非難しないでください——私の小説は想像の産物です」と言って)。さらに同時に、彼らは堂々と真実を述べていることを自慢したくもありました。これらの矛盾するスタンスは——抑圧的な社会状況・政治状況にたいする現実的な解決策であり——とくに西洋の文化的中心以外の場所で、小説の新しい形や技法を生み出します。

もし私たちが、抑圧的な非西洋社会において虚構性が小説家たちによって使われてきたやり方について徹底的な調査を行い、一八〇〇年代末から二十世紀を通して、国ごと、作家ごとに見ていったならば――複雑で非常に興味深い物語です――創造性と独創性は多くの場合、これらの矛盾する欲求や要請への反応として生じてきたことがわかるでしょう。近代小説によって確立されたフィクションという概念が、おもに映画のおかげで世界中に受け入れられた今日でさえ、「これはすべてあなたの実体験ですか?」という質問――デフォーの時代の名残り――は重要性を失っていません。それどころか、過去三百年のあいだ、この質問は小説芸術を支え、その人気の根底にある主要な力のひとつでした。

映画の話が出たので、一九七〇年代のトルコの映画産業を扱った小説『無垢の博物館』から例をあげさせてください。実を言いますと、楽しい記憶ではないのですが、私は一九八〇年代初頭に実際にトルコ映画の脚本執筆に携わり、小説で扱ったことのいくつかを身をもって体験しました。一九七〇年代初め、トルコの映画産業は勢いがあり、多くの観客を動員していました。当時は、トルコの年間映画製作本数はアメリカとインドを除けば世界一だと誇らしげに言われていました。映画には有名な俳優たちが実名のまま登場人物として現れ、実生活に非常に近い役を演じることもありました。たとえば、当時の大スターだったトゥルキャン・ショライは、架空の物語のなかで著名な映画スター、トゥルキャン・ショライの役を演じたのち、映画公開後のインタビューで、自分の実生活と映画で描いてみせた生活のギャップを埋めようとしたものです。信じやすい読者が、小説の主人公は作者自身か別の実在の人物だと思いこむのとまさに同じように、観客は銀幕のトゥルキャン・ショライは実生活のトゥルキャン・ショライを映していると無条件に信じこみました——そして二人のあいだの違いに魅了され、細部のどれがほんとうでどれが作りものなのか見分けようとしました。

プルーストに似ていなくもない男の世界を描く『失われた時を求めて』を読むたびに、私自身も、作者が実際に生きたのはどの細部やエピソードなのか、またどの程度までなのかを知りたいと感じます。ですから私は伝記が好きですし、映画スターが演じる人物をスター本人と混同する観客の単純さ(ナイーヴ)を笑いはしません。この講義の趣旨に照らして、また小説芸術についての議論という文脈でより興味深いのは、「事情通」と思われる読者の態度です。彼らは映画の観客のだまされやすさを冷笑するかもしれないし、映画で悪役として知られているそれなりに有名な俳優が、イスタンブールの通りで怒った観客に見つかり、叱責され殴られ、リンチを受けそうになったら大声で笑うかもしれません。それでいて、こうした「洗練された」読者たちも「パムクさん、あなたはケマルですか? これはすべてあなたの実体験ですか?」と訊かずにいられません。このような質問は、小説はあらゆる社会的階級・文化出身の異なる読者にとって、それぞれ異なる意味をもちうるということを思い出させてくれる有益なものです。

この話題について二つ目の例をあげる前に、作家の人生に注目することで小説を理解しようとすることや、小説の主人公を作者と混同することを戒める人びとに、私がしばしば同感することを断っておきましょう。『無垢の博物館』がイスタンブールで出版されてまもなく、私は何年も会っていなかった旧友に偶然出くわしました。彼は教授で、こういった事柄について語りあう間柄です。彼が共感してくれるものと思って、私は「あなたはケマルですか、パムクさん?」とみなに訊かれるとこぼしました。私たちはこのことについてしゃべりながら小説の舞台であるニシャンタシュの通りを歩き、ルソーの『告白』十一巻の一節を思い起こしました。ルソーが彼の小説『新エロイーズ』への反応に文句を言っているくだりです(「女性たちがあんなにも私に好感をもったのは、私が書いたのは自分の話で、私自身がこの小説の主人公なのだと信じこんだからだ」)。ミシェル・フーコーの「作者とは何か」という論文、理想的な読者と内包された読者という概念、ヴォルフガング・イーザーとウンベルト・エーコの文章(一九九三年にこのノートン・レクチャーズを担当したエーコは、私たち二人が尊敬する作家でした)のことも思い出しました。心優しい友は、私が小説『黒い本』の「三銃士」という章で触れているアラブの詩人、アブー・ヌワースの話を持ち出しました――ヘテロセクシュアルでありながら、ホモセクシュアルをよそおって書いた詩人です。そして友人は、中国の多くの作家が数世紀にわたり、作品において女性人格を採用して書いてきたことを話してくれました。同胞の教養のなさをぼやき続ける非西洋国の知識人らしく、私たちは軽い気持ちで、読者のゴシップへの興味が新聞によってあおられているとか、そのせいでトルコ人はフィクションや小説の西洋的な理解が身につかないといった話をしました。

ちょうどそのとき、旧友はテシュヴィキエ・モスクの向かいの集合住宅の前で立ち止まりました。私も足を止め、どうしたんだろうと彼を見ました。

「君は家に帰るのかと思って」と彼は言いました。

「そうだけど、うちはここじゃないよ」と私は答えました。

「そうなのかい?」と教授は言いました。「小説から、主人公のケマルはお母さんと一緒にここに住んでいると思ったんだけど」彼は自分の勘違いにほほえみました。「君もお母さんと一緒にここに引っ越したに違いないと、ぼくは無意識のうちに思いこんだんだね」

何事も冷静に受けとめられる境地に達した年寄りのように、私たちはフィクションと現実を混同したことを笑いあいました。このような錯覚に陥ったのは、小説が事実と同じくらい想像にも基づいていることを私たちが忘れたせいではなく、小説というものがこのような錯覚を読者に与えるせいだと私たちは感じとったのです。そしてこのとき、自分が小説を読みたいのは、まさにこのためだということも認識し始めました。つまり、現実に想像を混ぜるためです。その瞬間に私たちが感じていたのは——私がこの連続講義で提案した用語では——同時に「直感的(ナイーヴ)」でも「自意識的(センチメンタル)」でもありたいという欲求でした。小説を読むことは、小説を書くことと同じく、この二つの姿勢のあいだをつねに揺れ動くことを含んでいるのです。

さて、ここで今回の講義の本題に入ることができます。それは作家の「署名(シグネチャー)」——つまり、世界を表現するその作家固有のやり方です。でも、まずは初回の講義で触れたことを一、二点振り返っておきましょう。私は実在の、あるいは架空の中心について話しました。それは、個々の小説の背景にあって、小説を冒険物語や叙事詩など、他の細部に富む物語と区別するものです。小説は、誰もが日常生活で観察しそれぞれのやり方でなじんでいる細部やできごとから始めて、小説の約束する秘密の真実へ、中心へと私たちを連れていきます。単純化するために、こうした観察のひとつひとつを「感覚的体験」と呼ぶことにしましょう。窓を開けたとき、コーヒーを口に含んだとき、階段をのぼるとき、群衆に紛れるとき、交通渋滞に巻きこまれたとき、ドアに指を挟んだとき、眼鏡をなくしたとき、寒さに震えるとき、坂をのぼるとき、夏の始まりの日に泳ぎに行くとき、美しい女性に出会ったとき、子どものころ以来口にしていなかった種類のクッキーを味わったとき、列車の座席にすわって窓の外を見るとき、見たことのない花の香りをかいだとき、両親に腹を立てたとき、キスを交わしたとき、初めて大海を見たとき、嫉妬を感じたとき、冷たい水を一杯飲んだとき——このひとつひとつの感覚の独自性と、それが他人の経験と重なりあうことが、私たちが小説を理解し楽しむ基盤となります。

吹雪のなかを走る夜行列車のコンパートメントで本を読もうとするアンナ・カレーニナの描写を読んでいると、私たちは同じような感覚的体験をしたことを思い出します。私たちも、雪が降りしきるなか夜行列車で旅をしたことがあるかもしれません。他のことで頭がいっぱいのときに小説を読もうとしてうまくいかなかったことがあるかもしれません。トルストイの物語のなかのアンナとは違って、おそらく私たちの体験はモスクワ―サンクトペテルブルグ間の列車内で起こったことではないでしょう。しかし私たちは類似の体験を十分にしてきているので、登場人物の感覚を共有することができます。小説の普遍的な暗示性と限界は、この日常生活の共有という要因によって決まります。小説を供に夜行列車で旅をするということを誰もしなくなったら、読者は汽車に乗っているアンナの状況を理解することが難しくなります。そしてこうした何万もの細部が消え、薄れてしまったら、読者は『アンナ・カレーニナ』という小説を理解することが難しくなるでしょう。

アンナ・カレーニナが汽車のなかで感じたことは、私たち自身の体験ととても似ていると同時にとても違っているがゆえに、私たちを魅了する力があります。私たちは頭の片隅で、これらの細部、これらの感覚の出所は実人生でしかありえない、生きられたものなのだとわかっているので、トルストイはアンナ・カレーニナを通して、自身の実体験と彼の感覚でとらえた宇宙を私たちに語っているのだということを知ります。そしてこれこそが、フローベールが言ったとされる、何度も引用されてきた言葉「私はボヴァリー夫人だ」の意味するところに違いありません。フローベールは女性ではなく、結婚はしませんでした。彼の人生は彼の女主人公の人生とまったく似ていませんでした。しかし彼は彼女の感覚的体験(その不満、華やかな生活を求める気持ち、十九世紀フランスにおける小さな町の暮らしの狭量さ、夢と中産階級の現実のあいだの苦々しいギャップ)を、彼女と同じように生き、目にしました。彼は自分の見方をボヴァリー夫人の見方として表現し、完全に説得力のあるやり方でやってのけました。しかし、その才能と表現力にもかかわらず——ことによるとその才能のせいで——あれほどまでに真に迫っているように思われる細部はすべてフローベールの想像かもしれないと感じられる瞬間があります。

細部の正確さ、明快さ、美しさ、描写が私たちのなかに引き起こす「そう、まさにそのとおり、身に覚えがある」という感覚、私たちの想像のなかで場面を息づかせるテクストの喚起力——作家のこういった特質が私たちに感銘を与えます。こうした作家は、自分で体験したかのように感覚を表現する才能をもっており、想像したにすぎないことを身をもって生きたと信じこませることができるとも私たちは感じます。この幻想を小説家の「力」と呼ぶことにしましょう。再び私はこの力のすばらしさを強調したいと思います。さらにもう一度念を押しておきたいのは、小説を読んでいるあいだ小説家の存在を一時的に忘れるのはおそらく可能である一方で、忘れ続けることはけっしてできないということです。なぜなら、私たちはつねに物語の感覚的な細部を自分の実体験とくらべ、その知識を通して細部を頭のなかに描いているからです。私たちが小説を読むことから得る本質的な快楽のひとつは――汽車のなかで読書しているアンナ・カレーニナと同じく――自分の人生を他人の人生とくらべることです。これは、すべてが想像でできているように思われる小説を読む際にも当てはまります。歴史小説、ファンタジー小説、SF、哲学的な小説、恋愛小説、さらにこの様々なタイプを混ぜあわせた他の多くの本も、いわゆるリアリズム小説と同じく、それが書かれた時代の生活を日々観察した結果に基づいているのです。

小説の複雑な風景のなかにより深い意味を探し、主人公の感覚的体験(会話や彼らの生活の細部に表れている、登場人物たちの目に映る世界のありよう)から快楽を得て、小説の世界にどっぷり身を浸してしまえば、私たちは作家のことを忘れることができます。実際、頭の一部――私たちを直感的(ナイーヴ)にする部分――では、自分が手にしている小説が作家によって考え出され作りあげられたことを忘れることさえできます。小説を小説たらしめる特徴のひとつは、私たちが作家のことをもっとも完全に忘れている瞬間に、テクストにおける作家の存在がもっとも大きいということです。作家のことを忘れているときこそ、私たちがフィクションの世界が実在するのだ、現実の世界なのだと信じているときだからです。そして私たちは、作家の「鏡」(これは小説が現実を描く、または「映し出す」やり方を表現する昔ながらのメタファーです）は完璧で自然な鏡だと信じます。もちろん、完璧な鏡など存在しません。私たちの期待に完璧に応える鏡があるだけです。小説を読むという選択をする読者はみな、自分の好みに合わせて鏡を選びます。

「完璧な鏡はない」と言うとき、私は文体の違いだけを言っているわけではありません。私たちがいま問題にしているのは、別のもの――すべての文学を可能にするもの――です。私たちがカーテンを開けて日の光を入れるとき、なかなか来ないエレベーターを待っているとき、初めての部屋に足を踏み入れるとき、歯を磨くとき、雷鳴を聞くとき、大嫌いな人にほほえみかけるとき、木陰で眠りに落ちるとき、何を感じるか――私たちの感覚はほかの人びとの感覚と似てもいるし違ってもいます。似ているおかげで私たちは文学を通して人類全体を想像することができ、世界文学――世界小説という概念が成り立ちます。しかし小説家は、自分の飲むコーヒー、日の出、自分の初恋をそれぞれ異なるやり方で経験し、書きます。この違いは小説家たちの主人公全員にも及びます。そしてそれがその小説家の文体と署名（シグネチャー）の土台となるのです。

「パムクさん、ご著書はすべて読みました」と、ある女性にイスタンブールで言われたことがあります。彼女は私のおばと同年代で、親戚のおばさんといった風情を漂わせていました。「あなたのことはとてもよくわかっていますよ、あなたが驚かれるほどにね」。彼女と目が合うと、私はやましさと気恥ずかしさを感じ、彼女が言わんとしていることがわかった気がしました。自分よりほぼ一世代上の世慣れた女性の発言、その瞬間に私が感じた恥ずかしさ、彼女のまなざしの含みは、日がたっても私の頭に残り、私は何が自分を混乱させたのか理解しようと努めました。

私のおばをほうふつとさせるこの女性が「あなたのことはわかっていますよ」と言ったとき、彼女は私の人生、家族、住んでいる場所、通った学校、書いた小説、私が体験した政治的困難について知っていると主張したわけではありません。また、私の私生活や個人的な習慣を知っていたわけでも、私が『イスタンブール』という本で、自分の生まれた都市と結びつけることで伝えようとした、私の本質や世界観を知っていたということでもありません。その老婦人は私自身の物語と私のフィクションのなかの登場人物の物語を混同してはいませんでした。彼女が指していたのは、より深く、より個人的な秘められたもののように思われ、私は彼女の言う意味がわかった気がしました。この洞察力に富んだ「おば」が私をそんなにもよく知ることができたのは、私が無意識のうちにすべての著作、すべての登場人物に注ぎこんだ、自分自身の感覚的体験を通してだったのです。私は自分の体験を登場人物たちに投影したのでした。雨のしみこんだ大地のにおいを吸いこんだとき、騒々しいレストランで酔っ払ったとき、父の死後、その入れ歯に触れたとき、恋をしたことを後悔したとき、小さな嘘をついてばれずにすんだとき、汗でぬれた手に書類を握って役所で並んでいるとき、子どもたちが通りでサッカーをしているのを見るとき、髪を切ってもらうとき、イスタンブールの八百屋の屋台に高官(パシャ)たちの絵と果物がぶらさがっているのを見たとき、運転免許の試験に落ちたとき、夏の終わりにみながリゾートからいなくなった後に悲しくなったとき、誰かの家に遊びに行って長居し、もう遅い時間なのに腰をあげて帰れないとき、医院の待合室にすわっていて、テレビのおしゃべりを消すとき、兵役で一緒だった旧友にばったり会ったとき、楽しい会話中に突然沈黙が訪れたとき、私がどう感じるか。読者たちが、私の主人公の冒険は私の身にも起こったことだと考えたとき、私はまったく恥ずかしさをおぼえませんでした。そうではないと知っていたからです。それに加えて、三世紀にわたる小説とフィクションについての理論が私の支えとなり、そのような声にたいする防御として使うことができました。そして私は、小説についての理論は、この想像の現実からの独立を護り維持するために存在するのだと十分に認識していました。しかし、聡明な読者に、小説の「私固有の細部」に実体験を感じとったと言われたとき、私は恥ずかしさを感じました。自分の魂の本質にかかわることについて告白した人のように、書き記した懺悔を他人に読まれた人のように。

私が恥ずかしさを強く感じたのは、相手がムスリムの国の読者だったせいもあります。ムスリム社会では、ユルゲン・ハーバーマスのいわゆる「公共圏」において自分の私生活について話すのは一般的なことではなく、ルソーの『告白』のような本を書く者はいません。多くの小説家同様、私は管理社会のなかだけでなく、世界のあらゆる場所で、自分の感覚的体験について多くのことを読者と共有したい、小説の登場人物を通して体験を表現したいと実際に願っていました。小説家の作品のすべては星座のようなもので、小説家はそのなかで人生にかんする何万もの細かい観察を、言いかえれば個人の感覚に基づいた実体験を差し出しています。こうした感覚的な瞬間は、ドアを開けることから遠い昔の恋人を思い出すことまですべてを含みますが、インスピレーションのひらめく一瞬、小説において個人の創造性が発揮されるポイントを形づくります。このように、作家が実体験から直接こつこつと集めた情報――私たちが小説的細部と呼ぶもの――は想像と分かちがたく溶けあいます。

ホルヘ・ルイス・ボルヘスがマックス・ブロートあてのカフカの手紙をどう解釈したか思い出してみましょう。カフカが自分の未発表原稿をすべて燃やすよう頼んだ手紙です。ボルヘスいわく、カフカはこの指示をブロートに送ったとき、相手が実際に原稿を燃やしはしないだろうと思っていた。ブロートのほうは、自分がまさにそう考えるとカフカが思っていると考えた。そしてカフカが考えていたのは、ブロートは自分がブロートの考えをそう読んでいると思っているだろうということで……と際限なく続くのです。

小説のどの部分が体験に基づいていて、どの部分が想像かということのあいまいさは、読者と作者をこれに似た状況に置きます。個々の細部について、読者はそれが体験されたものだと考えるだろうと作者は想定します。そして読者は、作者は読者が実体験だと思って読むだろうと想定しながら書いたのだろうと考えます。作者はと言えば、読者は作者が読者もそう考えるだろうと想定しつつその細部を書いたと思っているだろうと考えます。この合わせ鏡の作用は作者の想像のほうにも当てはまります。作者が文を組み立てるとき、彼は自分がこの細部を考え出したと読者は(正しくまたは間違って)考えるだろうと憶測します。読者もこれを想定し、作者は自分が同様にこの細部が想像だったと思うだろうと憶測していると考えます。そして同じように作者も憶測し……といった具合です。

私たちの小説の読解は、この合わせ鏡の作用に起因する不確かさによって色づけられます。小説のどの部分が体験に基づいていてどの部分が想像か合意できないのとまさに同じように、読者と作者が小説の虚構性について合意することはけっしてありません。私たちはこの不一致を文化、それに読者と作者の小説の理解の違いを持ち出して説明します。『ロビンソン・クルーソー』以来、ほぼ三百年たっても、小説家と読者のあいだにフィクションの共通理解が確立していないと私たちは嘆きます。しかし私たちの嘆きは本心から出たものとは言い切れません。真実味を欠いており、不誠実な発言であることに気づかされます。なぜなら、頭の片隅では、読者と作者のあいだに完全な意見の一致がないことが小説の推進力だとわかっているからです。

このあいまいさの重要性を示す最後の例をあげておきましょう。ある著者が一人称単数で自伝を書くことを、その際にまったく正直に、何十万にも及ぶすべての細部が自分の実人生に忠実であるように確認しつつ執筆することを想像してみましょう。そして、抜け目のない出版社がこの本を「小説」と銘打って出版することを想像しましょう(こういうことをするかもしれない抜け目のない出版社はたくさんあります)。小説という名がつくやいなや、私たちはこの本を作者の意図とは大きく異なるやり方で読み始めます。私たちは中心を探し始め、細部は本物なのかなと考え、どの部分が実話でどの部分が想像か自問します。なぜそうするかというと、私たちが小説を読むのは、この喜びを、中心を探すこの快楽を味わうためだからです——さらに、細部が現実に裏打ちされているかあれこれ推測し、どれが想像でどれが体験に基づいているか自問するためなのです。

ここで、小説を書くことと読むことの大きな喜びが二種類の読者によって妨害されたり無視されたりすることに言及すべきでしょう。

一、あなたは小説を読んでいるのだと何度伝えても、テクストをつねに自伝か実体験の記録の偽装のようなものとして読む完全に直感的(ナイーヴ)な読者

二、あなたはこれ以上ないほど包み隠しのない自伝を読んでいるのだと何度伝えても、す

べてのテクストはどのみち作り物でフィクションなのだと考える完全に自意識的（センチメンタル）で思
索的な読者

このような人びとは小説を読む喜びを感じないので、近づきにならないよう私はみなさんに注意しておかなければなりません。

第三講

キャラクター、プロット、時間

私が人生を真剣に受けとめることを学んだのは、青年時代に小説を真剣に受けとめることを通してでした。純文学の小説は、私たちが実際にできごとに影響を与える力をもっていること、自分の個人的な決断が人生を形づくることを示すことによって、人生とは真剣に受けとめるべきものなのだと、私たちを納得させます。部分的にであっても閉鎖的な社会では、個人の選択は限られており、小説芸術は未発達な状態にとどまります。しかし、ひとたびこうした社会で小説芸術が発達すればかならず、人びとに自らの生活を見直すよう促します。そしてそれは、個人の特性や感覚や決断について緻密に構築された文学的な物語の提示を通して達成されます。私たちが伝統的な物語を脇に押しやって小説を読み始めると、自分自身の世界や選択が、歴史上のできごと、国家間の戦争、王や高官(パシャ)や軍や政府や神々の決断と同じくらい重要になりえると感じられるようになります。そして、さらに注目すべきことには、自分の感覚や考えがこのどれよりもはるかに興味深いものとなる可能性があるとも感じます。若いころに小説をむさぼり読みながら、私は息が止まりそうなほどの自由と自信を感じました。

ここで小説の登場人物(キャラクター)たちがかかわってきます。なぜなら、小説を読むということは、その登場人物たちの目、頭、魂を通して世界を見ることを意味するからです。近代以前の物語、騎士物語、叙事詩、マスナヴィー(トルコ語、ペルシア語、アラビア語、ウルドゥー語において、韻を踏む二行連句で語られる物語詩)、長い物語詩は、概して世界を読者の視点から描きます。こうした古い物語においては、主人公は一般的に風景のなかに配置され、私たち読者はその外側にいます。それにたいし、小説は私たちを風景のなかに招き入れます。私たちは主人公の視点から——その感覚を通して、可能であればその言葉を通して——宇宙を見るのです(歴史小説では、登場人物の話す言葉がその時代の文脈に自然にはまる必要があるため、このような代行は限られます。歴史小説がもっともうまく機能するのは、そのしかけと枠づけがはっきり見えるときです)。登場人物たちの目を通して見ると、小説の世界は私たちにとってより近く、よりわかりやすく感じられます。小説芸術にその逆らいがたい力を与えているのは、この近さの感覚なのです。それでいて、最大の焦点は主要人物たちの人格や徳性ではなく、彼らの世界の性質です。主人公たちの人生、世界における彼らの位置、彼らの感じ方、見方、世界とのかかわり方――これこそが純文学の小説の主題です。

日常生活において、私たちは自分の市で新たに選出された市長の性格(キャラクター)に好奇心を抱きます。同様に、自分が通う学校の新しい教師について知りたがります。生徒に厳しい先生なのか？試験は公正か？　親切な人なのか？　職場の新しい同僚の性格も私たちの生活に大きな影響を与えます。私たちは自分が出会うこういった「人物(キャラクター)たち」に好奇心を抱きます――つまり、外見と対比されるものとしての彼らの価値観、好み、習慣に興味をもつのです。そして私たちはみな、両親の性格が自分たちに与える影響がいかに大きいか(もちろん両親の懐具合や教育的水準も重要ですが)承知しています。当然、人生の伴侶の選択は、実生活においても、ジェーン・オースティンから現在まで、『アンナ・カレーニナ』から今日の大衆映画に至る幅広い物語においても、理にかなった、興味を引かれずにはいられないトピックです。こうした様々な例をあげているのは、人生は困難で苦労が多いがゆえに、私たちは身のまわりの人びとの習慣や価値観にたいして強い正当な好奇心を抱くのだということを意識してもらうためです。そして私たちの好奇心の源は少しも文学的なものではありません(この好奇心のせいで私たちはゴシップや最新の口コミ情報も好みます)。小説が性格をことさらに強調するのも、やはりこのとても人間的な好奇心のためです。実際、過去百五十年のあいだ、この好奇心は実生活より小説において幅を利かせてきました。ときにはあまりにも放埒になり、下品と言ってもいいくらいです。

ホメロスにとって、性格は決定的な属性で、けっして変わることのない本質でした。オデュッセウスは、恐怖を感じたり迷ったりする瞬間はあるものの、つねに度量の大きい人物です。対照的に、十七世紀オスマン帝国の旅行作家、エヴリヤ・チェレビにとっては、同時代のほかの多くの作家たちと同じく、人びとの性格は気候や水や地形同様、彼が訪れる都市に自然にそなわったものでした。彼はたとえば、トレビゾンドは雨が多い気候で、男たちはたくましく、女たちもたくましい、と一息に記述します。現代の私たちは、ある都市の全住民が同じ性格的特徴を共有しているとする考えを一笑に付します。しかし、新聞の星占いは、何万人もの人びとが読み、信じていますが、だいたい同じ時期に生まれた複数の個人が同じ人格を共有しているという単純(ナイーヴ)な見方に基づいていることを思い出しましょう。

多くの人びとと同じく、私は近代的なフィクションの登場人物(キャラクター)について私たちがもっている概念はシェイクスピアに起因すると考えています。この概念は、はじめは幅広い文学ジャンルにおいて、のちには十九世紀小説において発展したものです。シェイクスピア、そしてとりわけシェイクスピア批評の助けを借りて、フィクションの登場人物は何百年も前の定義から進化しました。もとの定義は、単一の基本的性質の体現、歴史的あるいは象徴的な意味合いをもつ一次元の役柄です(モリエールのすばらしいウィットにもかかわらず、彼の戯曲『守銭奴』の主人公はつねに守銭奴であり、それ以上にはなりません）。それを、相反する欲求や状態によって形づくられる複雑な存在へと変容させたのです。ドストエフスキーが理解するところの人間性は、私たちの近代的な人間のイメージ――様々な性質がもつれた束となった、ほかの何にも還元されえないもの――の完璧な例証になっています。それでいて、ドストエフスキーにおける「性格（キャラクター）」は、人生のほかのどの面よりもはるかに強く、決定力をもつものになっています。それは小説を支配し、小説に消えることのない刻印を残します。私たちがドストエフスキーを読むのは、主要人物たちを理解するためであって、人生そのものを理解するためではありません。あの真に偉大な小説、『カラマーゾフの兄弟』を読み、論じることは、三人の兄弟と一人の異母兄弟を通して、四タイプの人間、四タイプの性格を論じることなのです。シラーが直感的な（ナイーヴ）性格類型（キャラクター・タイプ）と自意識的な（センチメンタル）性格類型について思いを巡らすときとまったく同じように、私たちはドストエフスキーを読んでいるとき、すっかり心を奪われます。しかし同時に、「実人生はこれとはちょっと違う」とも思います。

　自然の法則にかんする科学的な発見、さらにのちには実証哲学に影響されて、十九世紀の小説家たちは近代的な個人に隠された魂を探究し始め、多くのすばらしい主人公たちと一貫した性格（キャラクター）――社会の様々な面を代表する種々の「タイプ」――を生み出しました。E・M・フォースターは、多大な影響を与えた『小説の諸相』において、十九世紀小説の成功と特質を扱いましたが、もっとも大きく取りあげたトピックは性格と小説の主人公の多様性で、それらを分類し、発展の過程を描き出しました。二十代で、小説家になりたいという思いがとても強かったころにこの本を読んで私が感じたのは、フォースターは文学において人間の性格が重要だと言っているが、実生活ではそこまでではないということでした。でもそこからさらにこう考えるようになりました。「小説において重要なら、人生においても重要なはずだ——結局のところ、ぼくはまだ人生のことをそんなに知らないんだから」。その一方で私は、小説家として成功するにはトム・ジョーンズ、イワン・カラマーゾフ、ボヴァリー夫人、ゴリオ爺さん、アンナ・カレーニナ、オリヴァー・ツイストのような、忘れがたい主人公を生み出さねばならないのだとも結論づけました。若いころには私はこの目標を達成したいと強く願っていました——しかしその後、主人公の名前を小説のタイトルにしたことはありません。

小説の主人公の特性や奇癖にたいして示される、過度で不釣り合いな関心は、小説そのものと同じく、ヨーロッパから世界のその他の地域へと広まりました。十九世紀末から二十世紀にかけてのヨーロッパ圏外の小説家たちは、新しい外国製のおもちゃだった「小説」という装置を通して自国の人びとや物語を眺め、自分の文化におけるイワン・カラマーゾフやドン・キホーテを生み出さねばと感じました。一九五〇年代・六〇年代のトルコの批評家たちは、自分が高く評価する、地方の作家を誇らしげに称賛する際に、「この小説は貧しいトルコの村にさえハムレットやイワン・カラマーゾフを見出せる可能性があることを示している」と宣言しました。ヴァルター・ベンヤミンが大いに敬服していたロシアの作家、ニコライ・レスコフのもっともすぐれた中編小説のタイトルが『ムツェンスク郡のマクベス夫人』であるという事実が、この問題の広範さを示しています(この小説におもに霊感を与えたのは、実は『マクベス』よりむしろ『ボヴァリー夫人』でした)。西洋の文化的中心で生み出された文学の登場人物を金型で成形された人工物とみなし、それを——まさに既製品(レディ・メイド)を使ったデュシャンの芸術作品のように——小説芸術がちょうど花ひらきつつあった非西洋の国にもってくることで、これらの作家たちは誇りと満足感を得ました。彼らは自国の人びとの性格が西洋の人びとと同じくらい深く複雑だと感じたのです。

このようなわけで、長年のあいだ、世界文学と文学批評の共同体全体が、「性格(キャラクター)」なるものは、とくに小説においては、人間の想像力が作り出したもの、人工的な構成物であるということを忘れてしまったかのようでした。いま一度、シラーが物事に含まれる技巧を見ない人びとにたいして「直感的(ナイーヴ)」という言葉を使ったことを思い出してください。そして文学界が文学に登場する主要人物たちの性格にかんしてこれほどまでに沈黙し直感的でいられたのはどういうわけか、無邪気(ナイーヴ)に自問してみましょう。心理学への関心が一般的なものになったためでしょうか? 心理学は科学的なオーラをまとい、二十世紀前半に作家たちのあいだに感染症のように広まりました。それとも、どこに行っても人間は本質的には同じだという考えを支持した、直感的（ナイーヴ）で無教養な人間至上主義的熱狂の波のせいでしょうか？　あるいは、ことによると、読者層の薄い辺境の文学に比して西洋の文学が優位だったせいでしょうか？

　もっとも広く受け入れられている理由は、フォースターが唱えた理由でもあるのですが、小説が書かれている最中に登場人物（キャラクター）たちがプロット、設定、テーマを乗っ取るというものです。神秘主義との接点もあるこの見解を信条としている作家は多く、神の定めた真理であるかのように扱っています。小説家のおもな仕事は主人公を作り出すことだと彼らは信じているのです！　これをうまく成し遂げさえすれば、主人公が舞台のプロンプターのように、小説の一部始終を小説家にささやいてくれるというわけです。フォースターは、私たち小説家は登場人物（キャラクター）から本のなかで語るべき内容を学ばねばならないとまで言います。この見方は、私たちの人生における人間の性格（キャラクター）の重要性の証明にはなりません。多くの小説家が物語があやふやなまま書き始め、そのやり方でしか書くことができないということを示しているだけです。さらにこの見方は、書くこと、そして読むことのもっとも骨の折れる面を指し示しています。すなわち、小説は芸術と技術、両方の産物だということです。小説が長ければ長いほど、作者が細部を設計し、そのすべてを頭に入れておき、物語の中心の感覚をねらい通りに作り出すことは難しくなります。

主人公とその特性を小説の核心にすえるこのような見方は、まったく直感的(ナイーヴ)に無批判に受け入れられてきたため、創作講座においてルールや方法論として教えられているほどです。今回の講義を書くための準備として、アメリカの大図書館のいくつかで読んだり調査したりしていたとき、私たちが「性格(キャラクター)」と呼んでいる人間の一側面は歴史的に構築されたもので、私たち自身の心理学的・情緒的気質と同様、文学の登場人物の性格も、私たちがあえて信じているしかけなのだという認識を示すものは、ほとんど見つかりませんでした。私たちが実生活で知っている人びとの性格にかんするゴシップと同じく、文学に登場する特定の主人公の忘れがたい性質をほめたたえる雄弁なスピーチは、しばしば空疎な美辞麗句にすぎないのです。

私は小説芸術の根本的な目的は人生を正確に描き出すことだと信じているので、率直に言わせてください。人びとは実際には、小説、なかでも十九世紀と二十世紀の小説の描写に見られるほどの個性(キャラクター)をもってはいません。この言葉をつづっている私は五十七歳です。小説——正確にはヨーロッパの小説のなかで出会うような個性を、私は自分のなかに見出せたためしがありません。さらに言えば、人間の性格(キャラクター)というものには、私たちの生活を形づくるうえで、西洋の小説や文学批評で与えられているほどの重要性はありません。登場人物(キャラクター)の造形が小説家のおもな目標であるべきという主張は、私たちが人びとの日常生活について知っていることに反しています。

とはいえ、個性（キャラクター）をもつことは、ルネサンス以降の絵画において個人のスタイルをもつことに似て、個人に特徴を与えます。その個人を他の人びとから区別するのです。しかし、小説の主要人物たちの個性以上に決定的なのは、周りの風景やできごとや社会的環境に彼らがどれほどしっくりはまっているかです。

　私が小説を書くとき、はじめの段階でもっとも強く感じるのは、トピックやテーマのいくつかを確実に言葉として「見える」ようにしたい、これまで描写されたことのない人生の側面を探究したい、私と同じ宇宙に生きる人びとが体験している気持ち、考え、状況を言葉で表現する最初の人間になりたいという衝動です。はじめは、人びと、物、物語、イメージ、状況、信念、歴史によって形づくられたパターンと、これらのものがすべて並んでいる状態――言いかえればテクスチャー――があり、それとともに、私が劇化し、強調し、より深く掘り下げたい状況も複数あります。私の登場人物たちが強い個性をもっていようと、（私のように）穏やかな個性をもっていようと、新しい領域や新しい考えを探究してもらう必要があります。私の小説の主人公の性格（キャラクター）は、人生において人の性格が形づくられるのと同じように決まります。つまり、彼が体験する状況やできごとによって決まるのです。ストーリーまたはプロットは、私が物語りたい様々な状況を効果的に結ぶ線です。主人公はこれらの状況によって形づくられる人物であり、状況をわかりやすく説明する助けになる人物でもあります。

主要人物たちが私に似ていようがいまいが、私は彼らに同化するためにあらゆる努力をします。想像力を働かせて彼らを少しずつ実体化し、彼らの目を通して小説の世界を見るまでになります。小説芸術の本質を明らかにするのは、主要人物たちの人格や性格（キャラクター）というよりむしろ、その物語のなかの宇宙が彼らの目にどのように映るかです。もし私たちが誰かを理解し、その人について道徳的所見を述べるとしたら、その人の視点から世界がどう見えるかを理解しなければなりません。そしてそのためには、情報と想像力の両方が必要です。小説芸術が政治性を帯びるのは、作者が政治的見解を示すときではなく、私たちが文化や階級やジェンダーという点において自分とは異なる誰かを理解しようと努めるときです。これは、倫理的・文化的・政治的判断を下す前に、共感を寄せることを意味します。

著作の主人公にたいする作者の同化には、とくに一文ずつ書き進めている段階においては、子どものようなところがあります。子どものようではありますが、直感的（ナイーヴ）ではありません。私が自分の主人公それぞれに同化するときの心持ちは、子どものころにひとりで遊んでいたときに似ています。子どもはみなそうですが、私もごっこ遊びが好きで、誰かになりきって、自分が兵隊や有名なサッカー選手や偉大な英雄になれる夢の世界を空想するのが好きでした（ジャン＝ポール・サルトルは、自伝『言葉』において、子どものごっこ遊びと小説家の頭のなかの類似性を詩的にとらえています）。書くことから引き出される快楽に加えて、小説を組み立てるゲームが、子どものような喜びを増します。小説を書くことを生業にしてきた三十五年のあいだ、私はしばしば、子どものころの遊びに似たゲームの要素を含む仕事ができて幸運だと感じてきました。この仕事につきものの困難や多大な労力にもかかわらず、小説家は私にとってつねに喜びに満ちた職業でした。

同化のプロセスは子どもに近いですが、それは私の思考のすべてを占めることはできないので、完全に直感的（ナイーヴ）というわけではありません。頭の一部はせっせと架空の人物たちを生み出し、主人公たちのように話したり行動したりしておおむね他人になりきろうとしている一方で、別の部分は小説全体を注意深く品定めしています——全体の構成を概観しつつ、読者はどのように読むだろうかと推しはかり、物語と役者たちを解釈し、自分の文章の効果を予測しようとしているのです。小説の技巧にかかわる部分と小説家の自意識的（センチメンタル）・思索的な側面を含むこれらすべての精妙な計算は、子ども時代の直感性（ナイーヴさ）と正反対の自意識を示します。小説家が同時に直感的でも自意識的でもあることに成功すればするほど、よい仕事ができるのです。

小説家の直感的な面(子どものようで遊び心にあふれ、他人に同化できる)と自意識的・思索的な面(自分の声を自覚し、技術的なことに没頭している)の対立——あるいは調和——のよい例は、どの小説家も、他人に同化する自分の能力に限界があることを知っているという事実です。小説芸術とは、他人のことであるかのように自分自身について語ったり、自分がその立場に身を置いているかのように他人について語ったりする技です。そして、他人のことであるかのように自分自身について語れる範囲に限界があるように、他人に同化できる範囲にも限界があります。文化、歴史、階級、ジェンダーのすべての違いを乗り越えて、ありうる主人公のタイプを多く生み出したい――全体を見て発見するために自分自身を超越したい――という欲求は、小説を書くことと読むことを魅力的にする、解放への基本的衝動であるとともに、ひとりの人間が別の人間を理解する能力の限界を私たちに実感させる野心的な目標でもあります。

小説を書くことと読むことには、自由、つまり他人の人生を模倣し自分が他人であると想像することにかかわる、非常に特殊な面があるため、この倫理的な特質について少し述べたいと思います。小説を書くことのもっとも楽しい面のひとつは、小説家が意識的に登場人物の立場に身を置くうちに、そしてリサーチをして想像力を働かせているうちに、自分自身が少しずつ変わっていくという発見です。主人公の目を通して世界を見るだけでなく、だんだん主人公に似てくるのです！　私が小説を書く技を愛するもうひとつの理由は、自分の視点を超えて誰か別人になることを強いられるからです。小説家として、私は他人に同化し、私自身の輪郭から踏み出し、以前はもっていなかった性格（キャラクター）を身につけました。この三十五年間、小説を書いて他人の立場に身を置くことによって、私はより洗練された複雑な自分を作りあげました。

自分の境界を超えること、すべての人、すべてのものを大きな全体として感じること、可能な限り多くの人に同化すること、できるだけ多くを見ること。このようにして、小説家は広々とした風景の詩趣をとらえるために山の頂にのぼった古代中国の画家たちに似てくるのです。ジェイムズ・ケーヒルら中国風景画の研究者は、直感的（ナイーヴ）なファンに、これらの絵を成り立たせる、高みからすべてを一望する視点は実際には架空のものであり、ほんとうに山頂で絵を描く画家は存在しないことを思い出させたがります。同様に、小説を組み立てる作業は、全体を見渡す架空の地点を探すことを含みます。この架空の視座は、小説の中心をいちばんはっきりと感じられる地点でもあります。

　架空の人物が大きな風景のなかを歩き回り、そこに居住し、働きかけ、その一部になるとき――こうしたふるまいゆえにその人物は忘れがたい存在になります。アンナ・カレーニナが記憶に残るのは、彼女の魂の揺らぎや、私たちが「性格（キャラクター）」と呼ぶ属性の寄せ集めのせいではなく、彼女があれほどまでに深く身を浸している広く豊かな風景、逆に彼女を通してその贅を凝らした細部の隅々までを明らかにする風景のためなのです。小説を読んでいると、私たちはその風景をヒロインの目を通して見ると同時に、ヒロインがその風景の豊かさの一部であることを知ります。のちには、彼女は忘れがたい記号、自身もその一部である風景を私たちに思い出させる象徴のようなものになるのです。『ドン・キホーテ』『デイヴィッド・コパフィールド』『アンナ・カレーニナ』等、濃厚な長編小説が主要人物の名を冠しているという事実は、主人公に課せられた、象徴的とも言える役割を強調します。それは読者の頭のなかに風景全体を呼び起こすことです。私たちの頭に残るのは、小説の全体的な配置図、または包括的な世界で、それを私は「風景」と呼んでいます。でも私たちがおぼえていると感じる要素は主人公です。そこで、私たちの想像のなかでは主人公の名が、小説の差し出す風景の名になるのです。

主要人物たちを——彼らが居住する風景の一部として——立体化する、この由緒あるやり方を、コールリッジはシェイクスピアについての講義において描写しました。「「登場人物」の性格は、実人生に存在する人びとの性格と同じく、読者によって推察されるべきものであって、読者にたいして語られるものではない」。コールリッジの持論の影響力は長期間に及びました。ほぼ八世代にもわたって——つまり二百年近いあいだ——小説の書き手と読み手は、小説芸術の主要な挑戦は主人公の性格を作りあげることであり、読者がその性格をねらい通りに発見することだと結論づけてきたのです。

コールリッジがこの言葉を書いたのはシェイクスピアのおよそ二世紀後、イギリス小説が興隆しつつあり、ディケンズが最初の作品群を書こうとしていたころだったことを思い出しましょう。しかし、小説に挑戦と深い喜びを感じるのは、主要人物のふるまいからその性格を推察するときではなく、自分の魂の少なくとも一部分において主人公に同化し、そうやって束の間であれ自分自身から解放されて他人になり、少しのあいだ別人の目から世界を見るときです。

もし小説本来の任務が世界で生きる感覚を描写することであるなら、もちろんそれは人間の性格や心理と密接に結びついています。しかし小説の主体はたんなる心理以上に興味深いものです。重要なのは個人の性格ではなく、世界の多種多様な形――色、できごと、果物や花、私たちの五官がもたらすすべてのもの――への個人の反応のしかたなのです。そして主人公に同化したという感じは、小説芸術がもたらすおもな快楽であり見返りですが、まさにこれらの感覚に基づいています。

トルストイが、モスクワ―サンクトペテルブルグ間の汽車に乗っているアンナ・カレーニナの特定のふるまいを描くのは、彼女が何か特別なタイプの性格だからではありません。彼はたんに、不幸な結婚生活を送っている女性が、モスクワでの舞踏会で若いハンサムな将校と踊った後で、小説を手にして家に帰る列車に乗っているときの気持ちを記述します。アンナを忘れがたい存在にするのは、無数の小さな細部の正確さです。私たちは彼女とまったく同じだけ、すべての物を見て、感じて、かかわるようになります――外の雪降る夜、コンパートメントの室内、彼女が読んでいる(あるいは読もうとしているが読めない)小説。私たちは彼女とまったく同じように見て、感じて、興味を示すのです。こうなる理由のひとつは、トルストイが彼女の性格を形づくるやり方かもしれません。セルバンテスがドン・キホーテを描くやり方とは対照的に、トルストイはアンナをやわらかくてあいまいな存在として提示し、私たちが彼女に同化する余地を十分に残しています。『ドン・キホーテ』を読むとき、私たちは外に立たされたままですが、『アンナ・カレーニナ』を読むときは違います。小説芸術のもっとも特徴的な面は、主要人物たちが五官のすべてを使って感じとるとおりに世界を見せるということです。そして、私たちが遠くから眺める風景が彼らの目と感覚器官を通して描かれているがゆえに、私たちは彼らの立場に身を置き、深く心を動かされ、全体の風景を内側から体験した感覚として把握しようと、ある人物の視点から別の人物の視点へと切り替えます。登場人物たちが歩きまわる風景は、彼らに影を落とすことはありません。反対に、小説の主要人物たちは、この風景の細部を明らかにし、光をあてるというまさにその目的のために想像され、作りあげられているのです。そのためには、人物たちは彼らが感じとる世界と深くかかわる必要があります。

　彼らのかかわり方を描き出すテクニックが、今回の講義の二番目と三番目の主題になります。すなわち、プロットと小説における時間です。主要人物たちの性格（キャラクター）や魂が小説本来の主題ではないと言うためには、私たちは自分の頭の直感的（ナイーヴ）な面を退け、自意識的（センチメンタル）・思索的なやり方で人物（キャラクター）描写のしかけを明らかにしなければなりません。このしかけが、私たちが文学の登場人物を作りあげ、理解するための土台なのです。小説家は、自分が調べ、探究し、物語りたい題材と、自分の想像力と創造性の焦点としたい体験に合わせて主人公を造形します。

　小説家は、非常に特殊な魂をもった主人公を考え出し、それからこの人物の望みに従って特定の主題や体験へと引き込まれていく、というわけではありません。ある特定の題材を探究したいという欲求が先にあります。あくまでもそれを踏まえて、小説家はその題材を解明するためにもっともふさわしいと思われる人物を考え出すのです。これが私のやり方です。そして、すべての作家は、自覚があろうとなかろうと同じようにしていると私は感じます。

「これが私のやり方です！」という一文をこの連続講義の副題にしてもよかったでしょう。ここでの私の意図は、「小説」として知られているジャンルの私なりの理解を説明することです。この特定のジャンルに私の想像力はどのようにかかわったのか？　小説は、育まれ形づくられて、すばらしいおもちゃのように私の前に置かれましたが、何千人もの先行する作家たちの言葉で作りあげられた三次元の宇宙です。小説家としての私の仕事の感情的・知性的な核は何なのか？　私の視点は、用心深いが楽観的なヒューマニストの視点に似ています。自分自身を理解し、その理解を表現できる限りにおいて、すべての人間性を描き出すことができるという考え方です。私が小説を読むことと書くことにかんする自分自身の体験を真摯に伝える限り、他の小説家たちが小説を作りあげる際にどのように頭を働かせているかを示すことができると直感的（ナイーヴ）に信じているのです。言いかえれば、小説の技術的な面に夢中になっている私自身の自意識的（センチメンタル）・思索的な部分を読者のみなさんに伝えられると信じている直感的（ナイーヴ）な部分が私にはあるのです。

自分の気質のこの直感的な部分にかんして、私はヴィクトル・シクロフスキーら、二十世紀初頭のロシア・フォルマリストたちの物語論に通じるものを感じています。私たちが「プロット」と呼ぶもの、物語におけるできごとのつらなりは、私たちが語って通過したい点をつなぐ線に過ぎません。この線は小説の題材や内容——つまり小説そのもの——を表してはいません。むしろそれは、小説を構成する何千もの小さな点がテクスト全体にちりばめられていることを示唆するものです。物語単位、主題、パターン、サブプロット、ミニストーリー、詩的瞬間、個人的体験、情報のかけら——そういった点の呼び名はどうあれ、これこそが私を突き動かし、力を与えて小説を書かせる大小のエネルギーの塊なのです。『ロリータ』についての文章において、ウラジーミル・ナボコフはこれらのもっとも意義深く忘れがたい点を、本を形づくる「神経終末」と呼びました。これらの単位は、まさにアリストテレスの原子のように、分割できない最小の存在だと私は感じています。

私の小説『無垢の博物館』においては、アリストテレスの『自然学』を参考に、このような個々の点と「時間」を構成する瞬間のあいだの関係性を確立しようと試みました。アリストテレスによれば、分割できない最小の原子があるように、分割できない瞬間が存在します。そしてこれらの無数の瞬間を結ぶ線が「時間」と呼ばれています。同様に、小説のプロットは大小の分割できない物語単位を結ぶ線なのです。当然、主要人物たちは、この線、プロットが要求する道筋と劇的状況を正当化する魂、性格(キャラクター)、心理構造を備えていなければなりません。

小説を他の長い物語と区別し、こんなにも広く愛されるジャンルにしているおもな特質は、小説の読まれ方にあります。すなわち、これらの小さな点、線に沿って並ぶ神経終末のひとつひとつを物語のなかのひとりの人物の目を通して見るという行為、そしてこれらの点を主要人物たちの感情や五感と関連づける過程です。語りが一人称であろうと三人称であろうと、小説家または語り手がこの関係を意識していようといまいと、読者は全体の風景のなかのすべての細部を、そのできごとに近い主要人物の気持ちや気分と関連づけることによって吸収します。とすると、小説の内部構造に由来する小説芸術の基本原則は次のようになります。完全に無人の背景や物語上の重要性が薄い物の描写さえも、主要人物たちの感情的・感覚的・心理的世界の必然的な延長であるという印象を読者に与えなければならない。普通の論理ではアンナ・カレーニナが車窓から見るのは偶然そこに存在するものかもしれず、汽車はどんな景色のなかを走っている可能性もあることになります。しかし小説を読んでいるあいだは、汽車の外を舞う雪はこの若い女性の気分を私たちに示すものなのです。モスクワの舞踏会でハンサムな将校と踊った後で、アンナはコンパートメントに落ち着き、家庭と家族の庇護のもとへ帰る途中です——でも彼女の頭を占めているのは、その先の冒険、自然の恐ろしい力と美です。すぐれた小説、偉大な小説においては、風景、様々な物、埋めこまれた話、ちょっとした脱線などの記述

——そのすべてが主要人物たちの気分や習慣や性格(キャラクター)を私たちに感じさせます。小説を、これらの分割できない神経終末——書き手に霊感を与える単位——でできている海として想像してみましょう。そしてすべての点に主要人物たちの魂のかけらがこめられていることをけっして忘れないようにしましょう。

「時間」は、アリストテレスの『自然学』における記述によれば、個別の点をつなぐまっすぐな線です。これは客観的な時間で、みなが知っていて合意しているもの、暦や時計によって刻まれているものです。他の長編フィクションや歴史とは対照的に、小説は世界を、そのなかに生きる人びとの視点から、彼らの魂や感受性の細部を通して描き出します——そしてこのため、小説における時間は、アリストテレスの示す直線的で客観的なものではなく、主要人物たちの主観的な時間なのです。とはいえ、主要人物たちのあいだの関係を決定するために——登場人物の多い小説を読んでいるときにはとくに——私たちはそれでも小説中のすべての人に共有されている時間を認識しようとします。誠実で直感的(ナイーヴ)な作家たちは、物語のテクニックのしかけに心を乱されることがないので、私たちが想像のなかで客観的な時間を構築する助けになるように、「アンナがモスクワ行きの汽車に乗りこんだころ、リョーヴィンは自分の領地で……」といった説明的な文を読者に提供します。しかし、語り手からのこんなヒントがつねに必要なわけではありません。読者は小説に流れる共有された客観的な時間を、次のようなできごとの助けを借りて想像することができます。降雪、嵐、地震、火事、戦争、教会の鐘、祈りの時刻を知らせる声、季節の変化、流行病、新聞記事、大規模な公式行事——これらは、互いに直接会うことのない者同士でも、すべての主要人物たちが知っている事象です。この想像の過程は、私たちが小説のなかの人びと、都市の群衆、共同体、国家などを代表する集団を想像するやり方と似ているという点において、政治的なものです。そしてこの接合点こそ、小説が詩からも主要人物たちの内なる悪魔からももっとも遠ざかり、歴史にもっとも近づく場所です。小説を読んでいるときに、共有された客観的な時間の存在を感じると、大きな風景画を眺めてすべての物を同時に見るときに感じる心地よさに似た感情をおぼえます。歴史の襞と共同体の特徴のなかに小説の隠れた中心を見つけたと私たちは考えます。でもこれは誤った印象だと私は考えています。トルストイの『戦争と平和』とジェイムズ・ジョイスの『ユリシーズ』、私たちが共有された客観的な時間の存在を感じることが多い二つの小説において、その深い秘められた中心は、歴史ではなく人生そのものとその構造にかかわるものです。

私たちが「客観的な時間」と呼ぶものは、小説の様々な要素を結びつけ、それらがまるで風景画のなかにあるかのように見せる枠として機能しています。しかしこの枠は識別しにくいため、読者には語り手の助けが必要です——なぜなら、小説を書くあいだも、読むあいだも、物語が要求するのは(風景画とは異なり)、私たちが全体の景色ではなく個々の人物それぞれが目にするものや感じるものを見ること、それに、私たちがこうした限られた視点のすべてに価値を認めることだからです。巧みに描かれた中国の古典的な絵画においては、私たちは一本一本の木とその木々が形づくる森、それに全体の風景を同時に目にします。しかし、小説の場合は、作者と読者の両方にとって、客観的な時間を認識し小説の全体像を把握するために主要人物たちから距離をとるのは難しいことです。

『アンナ・カレーニナ』はこれまでに生み出されたもっとも完璧な小説のひとつです。そして、トルストイの執筆の様子――たえまなく推敲し、修正し、磨きあげたこと――を知る者は、これが細心の注意を払って書かれた本であることも知っています。それでも、ナボコフが――かのトルストイを超える頭の冴えを見せられることに大得意で――証明したところによると、主要人物たちの個々の物語には間違いがほとんどない一方で、トルストイは『アンナ・カレーニナ』において共有される客観的な時間をうまく構成できておらず、主要人物たちの暦は合致していません――言いかえれば、この小説には、注意深い編集者であれば気づいたであろう時系列の誤りが多く含まれています。単純に楽しみのためにこの小説を読む人びとはこのような一貫性のなさに気づきません。トルストイの暦は正しいと決めてかかります。作者と読者のこのような不注意は、風景全体の時間よりも、主要人物たちの時間にフォーカスして小説を書き、読む習慣に由来しています――小説を読むことは、風景のなかに入って全体像が見えなくなることを含むので、これは理解できる習慣です。

コンラッド、プルースト、ジョイス、フォークナー、ヴァージニア・ウルフ以降、プロットまたは時間の飛躍は、読者にたいして小説の主要人物たちの性格（キャラクター）や習慣や気分を明らかにするテクニックの一部として受け入れられています。これらのモダニズム作家たちは――全体の風景のなかのできごとを、時計や暦の直線的なつながりではなく、主要人物たちの記憶、ドラマにおける彼らの役割、そしてもっとも重要なのは彼らの信念や直感にしたがって並べ――世界中の読者に（このころには小説は世界的な芸術になっていたのです！）、自分たちの人生を理解しその独自性を見抜く新たなやり方は、自分の体験する主観的な時間に注目することだと感じさせました。モダニズム小説の助けを借りて――私たち自身の個人的な「時間」と瞬間の重要性を発見するにつれて、私たちは主人公の性格や心理的・感情的特徴を小説の全体的な風景の一部として見ることを学んだのです。小説という媒体を通して、以前は見逃していた人生の小さな細部を理解することは、意味づけしたそれらを全体の風景のなかに、歴史の文脈のなかに置くことを意味します。私たちは、自分の人生の微小な細部と感情を通して全体の風景のなかに入ることによってしか、理解に達するための強さと自由を手に入れることはできないのです。

車窓から見える雪片は、私たちにアンナ・カレーニナの気分を伝えてくれます。なぜなら彼女はモスクワの舞踏会で会った若い将校のせいで感じやすくなっていて、彼と感情的な関係をもつことを考えるほどに気持ちを動かされているからです。主要人物の性格(キャラクター)を作り出し組み立てる作業には、プロットに私たちみなにとってなじみぶかい実生活の最小の細部を組み合わせることが欠かせません。私にとって、小説を書くことは、風景(世界)のなかに私の人物(キャラクター)たちの気分や感情や考えが感じられることを意味します。ですから私は、小説を形づくる何千もの小さな点を、直線ではなくジグザグの線でつなぐべきだとつねに感じています。小説においては、物、家具、部屋、通り、風景、木々、森、天気、窓の外の景色——そのすべてが、小説の全体的な風景から形づくられた、主要人物たちの考えや気持ちの働きとして、私たちの目に映るのです。

第四講

言葉、絵、物

小説を書く技とは、ある風景のなかにいる――つまり、物やイメージに取り囲まれた状態の――主要人物たちの考えや感覚を感じとる能力である、と私は述べました。この能力はある種の小説家の技においてはそれほど重要でなく、その最良の例はドストエフスキーです。ドストエフスキーの小説を読んでいると、何か驚くほど深遠なものに遭遇したと――人生や人びとやとりわけ自分自身を真に深く知りえたと――感じることがあります。この知識はとても身近に思えると同時に尋常でないものと感じられるので、私たちは恐怖に満たされることもあります。

ドストエフスキーが私たちに与えてくれる知識または知恵は、視覚的想像力ではなく言語的想像力に訴えます。小説の力と人間精神の理解において、トルストイも同等の深さに達することがあります。そしてこの二人は同時代に同じ文化のなかで執筆していたため、つねに比較されます。しかし、トルストイの洞察の大部分はドストエフスキーのものとは種類が異なります。トルストイは言語的想像力のみならず――それ以上に――視覚的想像力に働きかけます。

もちろん、すべての文学テクストは私たちの視覚的知性と言語的知性の両方に働きかけます。劇場では、すべてのことが私たちの目の前で、目を楽しませるために起こるわけですが、言葉遊び、分析的思考、詩的な言葉の楽しさ、普段使いの話し言葉の流れも、当然のことながら快楽の一部として存在しています。ドストエフスキーのように並外れて劇的な作家の場合――たとえば『悪霊』の自殺の場面など――ページ上に明確なイメージはない(読者は、主人公とともに、誰かが隣の部屋で自殺を図っているところを想像しなければならない)かもしれませんが、強い視覚的な印象を残します。それでも、読者の頭をくらくらさせるものすごい緊迫感にもかかわらず――あるいはそれゆえに――ドストエフスキーの作品が私たちの頭に焼きつける物やイメージや場面は数えるほどしかありません。トルストイの世界が絶妙に配置された意味ありげな物にあふれているのにたいし、ドストエフスキーの部屋はどれもほとんど空っぽな印象です。

私の言いたいことを説明しやすくするために、ここで一般化させてください。言語的想像力に働きかけるのに長けた作家がいる一方で、視覚的想像力のほうに強く訴える作家もいます。一つ目のタイプを「言語的作家」、二つ目のタイプを「視覚的作家」と呼ぶことにします。私にとってホメロスは視覚的な作家です。彼の作品を読むと、無数のイメージが目の前を通り過ぎていきます。私は物語そのもの以上にこれらのイメージを楽しみます。しかし、私が『わたしの名は赤』執筆中に繰り返し読んだ、偉大なペルシア語の叙事詩『王書(シャー・ナーメ)』の作者であるフェルドウスィーは言語的作家で、おもにプロットとその紆余曲折に頼っています。もちろん、このような線引きの片側だけに位置するような作家はいません。しかし、一部の作家を読んでいるあいだ、私たちは言葉、会話の流れ、語り手が探究する矛盾や考えのほうに関心を引かれるのにたいし、私たちの頭を、消えることのないイメージ、ヴィジョン、風景、物で満たして感銘を与える作家もいます。

コールリッジはジャンルによって視覚的にも言語的にもなれる作家の最良の例です。詩――たとえば「老水夫行」――において、彼は物語を語るというよりは読者のために続き物の見事な絵を描いてみせる詩人です。しかし散文や日記、自伝においては、コールリッジは分析的な書き手となり、私たちにもっぱら概念と言葉で考えることを求めます。さらに彼は自分の詩の創作過程をすぐれた洞察力をもって描写することができます。彼は視覚的想像力を使って詩を書くかたわら、同じ詩を言語的想像力で分析したのです――たとえば『文学的自叙伝』第四章を見てみてください。同様に、コールリッジから多くを学んだエドガー・アラン・ポーは詩論「詩作の哲学」において、自身の「大鴉」の詩は読者の文学的想像力に働きかけることによって書いたと説明しています。

私が「視覚的文学」と「言語的文学」と呼ぶものの二項対立を理解するために、少しのあいだ目を閉じてひとつの主題に集中し、頭のなかの考えが形をとるに任せてみてください。それから目を開けて、自分に問いかけてみましょう。考えていたあいだ、頭のなかを通り過ぎていったのは言葉でしょうか、イメージでしょうか？　答えはどちらかかもしれないし、両方かもしれません。私たちは言葉で考えていると感じることもあれば、イメージで考えていると感じることもあります。片方からもう片方へとスイッチすることもよくあります。ここでの私の目的は、視覚と言語という区別を使うことで、どの文学テクストも、脳内のこの二つの中枢のうちどちらかをもう片方より多く稼働させる傾向があると示すことです。

私のもっとも強い持論に「小説は本質的に視覚的なフィクションである」というものがあります。小説が私たちに影響を与えるのは、おもに視覚的知性——想像力でものを見て言葉を頭のなかのイメージに変換する能力——に働きかけることを通してです。他の文学ジャンルとは対照的に、小説が日常的な人生経験の記憶と、自分では気づいていないことさえある感覚的な印象の記憶に頼っていることを、私たちはみな知っています。世界を描き出すだけでなく、小説は——ほかの文学形式とはくらべものにならない豊かさをもって——嗅覚、聴覚、味覚、触覚によって喚起される感情をも描きます。小説の全体的な風景が——主要人物たちに見える範囲を超えて――その世界の音、におい、味、接触の瞬間とともに立ちあがってくるのです。とはいえ、私たちひとりひとりが一瞬一瞬それぞれ独自のやり方で感じている、生きるという体験においては、見ることが間違いなくもっとも重要です。小説を書くことは言葉で絵を描くことを意味し、小説を読むことは自分以外の誰かの言葉を通してイメージを視覚化することを意味するのです。

「言葉で絵を描く」と言うとき私は、言葉を使って読者の頭のなかに非常にくっきりした明確なイメージを呼び起こすことを意味しています。私が一文ずつ、一語ずつ小説を書いているとき(会話は別として)、その第一歩はつねに、頭のなかに一枚の絵、ひとつのイメージを形づくることです。まずなすべきことは、この頭のなかのイメージを明らかにし、焦点を合わせることだと意識しています。伝記や作家の回想録を読み、他の小説家たちと話をするなかで、私は――他の作家とくらべて――書き始める前に構想に力を入れているほうだとわかってきました。一冊の本をセクションに分けて構成することに人並み以上に注意を払っているのです。ひとつの章、場面、または小さなタブロー(ほら、絵画の語彙が自然と出てきます!)を書くとき、私はまずそれを想像して細かい部分まで思い浮かべます。私にとって書くことは、その特定の場面、そのイメージを視覚化するプロセスです。万年筆で書きつけているページを見おろすのと同じくらい、私は窓の外を見つめます。自分の考えを言葉に変換しようと準備しているとき、私はひとつひとつの場面を映画のシークエンスのように、一文一文を絵画のように視覚化しようと懸命に努力します。

でも、映画や絵画のたとえが有効なのはある地点までに過ぎません。ある場面を描こうとするとき、私はその場面の、もっとも簡潔に力強く表現しうる側面を視覚化し際立たせようとします。執筆中の章を一場面ずつ、一文ずつ構築する際、私の視覚的想像力は言葉でもっとも効果的に表現できる細部に集中します。実生活からある細部を思い出して視覚化したものの、それを言葉で表現できないことに気づいて捨てることもあります。不十分だというこの感覚は、自分の体験は自分固有のものだと私が信じていることから来ています。頭のなかのイメージをもっともうまく伝えてくれる「ぴったりの言葉」——フローベールが書くとき(実際には書くことに取りかかる前)に探し求めたという"le mot juste"——を私は探しています。小説家は、自分が思い描くものをもっともよく表す言葉を探すだけでなく、自分がうまく言語化できるものを思い描くことを次第に学んでいきます(そうした精選されたイメージはl'image juste——「ぴったりのイメージ」と呼ばれるべきでしょう)。小説家は、頭のなかに見えるイメージは言葉に変換したときだけ意味をもつと感じ、言葉に鋳造し直せるものを思い描くことを学ぶにつれて、自分の頭のなかの視覚中枢と言語中枢が互いに近づいていると感じます。この二つの中枢はおそらくどちらかがもう片方に包まれているのであって、脳内で反対の位置にあるわけではないのでしよう。

言葉とイメージのあいだ、または文学と絵画のあいだの類似性を指摘する際にはきまって、ホラティウスの『詩論』の有名な一行“Ut pictura poesis”（「詩は絵のように」）を引くのが通例となっています。私はこのくだりに続く、それほど知られていない言葉も好きです（ホラティウスは、ホメロスさえあまり質のよくない韻文を書くことがあると言い放ったのち、不意にこの言葉を続けます）。なぜなら、風景画を眺めることは小説を読むことにとても似ていると思い出させてくれるからです。D・A・ラッセルの散文訳から引用します。「詩は絵画に似ている。近くに立つことで魅力を感じるものもあれば、遠ざかることで惹きつけられるものもある。ある絵は暗い場所を好む。またある絵は、批評家の鋭い判断を恐れないので、光のなかで見る必要があるだろう。ある絵は一度喜びを与える。またある絵は十回じっくり見ることで喜びを与えるだろう」

ホラティウスは『詩論』の別の箇所でも絵画のたとえと語彙を用いますが、そこでの彼の考えや例証は詩の与える喜びが絵画の与える喜びに似ていることに言及するにとどまっています。文学芸術と絵画芸術のあいだの真の違いが分析的論理を用いて明確に公式化されたのは、ドイツの劇作家にして批評家ゴットホルト・エフライム・レッシングの著書『ラオコーン』（一七六六年）においてでした。「絵画と詩の限界について」という副題のついたこの著作は、今日では誰もが同意する区別を提示しています。すなわち、詩(文学)は時間のなかで展開する芸術であるのにたいし、絵画、彫刻、その他の視覚芸術は空間において展開するというものです。「時間」と「空間」はカントの重要なカテゴリーです。

風景画を見ると、私たちは瞬時に全体の意味を把握します。すべてがまさに目の前に繰り広げられているからです。しかし、詩や散文の物語全体の意味をつかむには、主要人物や状況が時間の経過とともにどのように変化するかを理解する必要があります——言いかえれば、物語、ドラマ、できごとを理解しなければならないのです。できごとは劇的時間の文脈のなかに置かれています。そして言語で組み立てられた作品の構造を追うためにはそれを読む時間が必要です。

実際には、細かく描きこまれた風景画を味わおうとするなら——まさにホラティウスの言ったように——それを十回見て、様々な距離から眺め、細部に注意を払い、時間をかけてじっくり見つめることもしなければなりません。さらに、物語を語っている絵は、ひとつの枠内に二つ以上の「時」——つまり前回の講義で触れたアリストテレス的瞬間——を含んでいる可能性があります。大きな絵の片方のすみに大戦争を引き起こしたできごとが描かれ、別のすみには戦争の後に残された怪我人や死者の姿が示されているかもしれないのです。これは「物語絵」と呼ばれるものです。十六世紀初頭にカルパッチョらヨーロッパの画家によって使われた技法で、ビフザードら同時期のペルシアの画家たちも使いました。

しかしこれらの例はレッシングによる有名な区別の価値を下げるものではありません。彼が二つの主要な哲学的カテゴリー「時間」と「空間」を用いたことで、詩と絵画(ともに人間の魂を動かす力をもち、その力が関連しあっているためにしばしば「姉妹芸術」と呼ばれます)のあいだにはっきりした対比が確立されました。この区別を、小説にたいする私自身の見解を表明するために使わせてください。小説は、まさに絵画と同じく、凍結された瞬間を提示します。しかし小説は、このような分割できない小さな瞬間(アリストテレス的瞬間にとても近いもの)を、たったひとつではなく無数に含んでいます。何千、何万という瞬間を差し出すのです。小説を読むとき、私たちは言葉で形づくられたこれらの瞬間、「時」の点を視覚化します。すなわち、私たちはそれらを想像のなかで「空間」に変換するのです。

絵を見るとき――風景画でも、本の挿絵でも、写本の彩飾でも、細密肖像画でも――私たちはただちに全体的な印象を受けます。しかし小説を読むときは正反対です。ページをめくる私たちの注意はたえず小さな細部、小さな絵、小さくて約分不可能な瞬間に向けられ、無数の細部を頭のなかにとどめておこうと努力しつつ、全体の風景が見えてくるまでじりじりしながら待つのです。絵が凍結された一瞬を見せるのにたいし、小説は何千もの凍結された瞬間を次々に提示します。小説を読むことはしばしばサスペンスに満ちた体験になりえます。私たちの好奇心は、ひとつひとつの瞬間が全体の風景のどこにはまるのか、それが小説の中心を指し示す可能性はあるのか判断しようと、熱心に試行錯誤するのです。作者はなぜまさにこの瞬間に窓の外を舞う雪を見せているのだろう？　なぜ列車のコンパートメント内の他の人びとをこんなに詳しく描いてみせるのだろう？　多くの瞬間からなる森全体のどこに自分はいるのか、どうしたら出口を見つけられるのか——同時にあらゆる木、あらゆる細部、あらゆる物語単位を吟味しつつ——考え続けていると息がつまりそうになり、森のなかですっかり迷子になったような気分になるかもしれません。でも、森のなかの木々、物語を構成する何千もの分割できない瞬間が、人間の日常的な細部、それもしばしば視覚的な細部でできていることで、私たちの集中力は維持されます。私たちの集中を保つのは、それらの細部を主要人物たちがどう受けとめているか、言葉をかえれば、細部を通して主要人物たちの考えや気持ちや性格が明らかになっていくさまです。

大きな絵を見ると、私たちはすべてが同時に存在していることにわくわくし、絵のなかに入りたくなります。長編小説を読んでいる最中には、全体像が見えない世界にいることにくらくらするような喜びをおぼえます。すべてを見るためには、私たちは小説のなかの個々の瞬間をイメージに変換し続けなければなりません。この変換のプロセスこそ、小説を読むことを絵を眺めることにくらべて、より協同的でより個人的な作業にするものです。

私は友人のアンドレアス・ヒュイッセンと協力してコロンビア大学でセミナーを教えています。この授業の目的は文学テクストと絵画の関係を探ること、言葉が私たちの視覚的想像力をどのように動かすか、例を用いて話し合うことです。議論は必然的に、古代ギリシャ人がエクフラシスと呼んだものに及びます。第一の狭い意味においてエクフラシスは、視覚的芸術作品(絵画や彫刻など)を、それを見ることができない人のために、詩という媒体によって描写することです。小説のなかの細部と同じく、詩に登場する絵画や彫刻は実在のものでも架空のものでもかまいません。狭義のエクフラシスの説明はほぼこれに尽きます。古典文学においてもっともよく知られているエクフラシスの例は、『イリアス』十八巻に出てくるアキレウスの盾の描写です。ヘパイストス神によって盾に鋳造されるイメージ――そこに描かれる星々、太陽、町々、人びと――についてのホメロスの記述があまりに並外れているため、その描写は言葉の宇宙全体の肖像になり、盾そのものよりもはるかに重要な文学テクストになっています。ホメロスの描写に霊感を得たW・H・オーデンは「アキレウスの盾」という詩を書き、二十世紀の戦争という視点からエクフラシスを鋳造し直しました。

私も自分の著作にそのような描写を多く採り入れていますが、それは(オーデンのように)ある時代について判断を下す――言いかえれば距離をとって眺める――ためではなく、逆に、書くことを通して絵のなかに入り、それが生み出された時代の一部となるためです。とくに『わたしの名は赤』では、主要人物にとどまらず、色や物も声をもち、発言するのですが、別世界——絵画を通して描写し、再構築したかった世界——に足を踏み入れていると感じました。現在を生きる人びとにとって、過去は古い建物、古いテクスト、古い絵画でできています。私はテクストだけでなく絵画をも出発点とし、過去を小説に必要な鮮やかさで想像することは可能だと信じて、十六世紀末イスタンブールのトプカプ宮殿にある本や古文書保管庫のなかの絵画——その大部分は実は現在のイランとアフガニスタンで生み出されたものです——を詳しく描写し、それらの細密画に描かれた英雄、物、悪魔にさえも同化することで宇宙を作り始めました。

この試みにより、私はエクフラシスにはより広い解釈があるべきだという確信を抱きました。「エクフラシス」という古代ギリシャ語を使おうと、「言葉による描写」という表現を使おうと、実在のあるいは想像上の視覚的世界の輝きを、それを見ていない相手に向かって、どのようにして言葉で描き出すかが問題なのです。私たちの出発点は写真の時代以前の芸術であり、コピーや印刷やその他の複写形態が知られていなかった時代の難しさであることをおぼえておきましょう。つまるところ、エクフラシスの挑戦は、あるものを見たことのない人のために言葉で描写することなのです。

そのようなテクストのよい例は、ゲーテが一八一七年にレオナルド・ダ・ヴィンチの絵画

《最後の晩餐》について書いた文章です。ゲーテは航空会社の機内誌の記事にきわめて似たスタイルで始め、まずドイツの読者にレオナルド・ダ・ヴィンチを紹介し、それから《最後の晩餐》が非常に有名な絵であること、ゲーテ自身は「数年前に」ミラノで実物を見たことを伝えます。彼は、自分のコメントが理解しやすくなるよう、件の絵の版画を参照することを読者に推奨しますが、彼の文章のトーンは、美しいものを見た経験を、それを見たことのない人たちに伝えることの喜びと熱意と難しさを反映しています。ゲーテは絵と建築に関心をもっていました。色彩についての野心的でばかげた本も書いています。彼の文学的才能が視覚的というよりは言語的なものであったことは、文学においてよく見られる皮肉な矛盾です——でもここで注目したいのは別のことです。

小説を書きたいという創造的な衝動は、視覚的なものを言葉で表現したいという熱意と意志から発しています。もちろん、すべての小説の背後には個人的、政治的、倫理的な動機がありますが、これらは回想録、インタビュー、詩、新聞・雑誌記事など、他の媒体によっても満たすことのできるものです。

私が育った一九六〇年代のイスタンブール、トルコにテレビがなかった時代に、兄と私はラジオで生放送されるサッカー中継を聴いていました。アナウンサーはプレーのひとつひとつを描写し、自分が目にしていることを言葉に変換して、私と兄がスタジアムで起きていることをイメージできるようにしてくれました。スタジアムに行ったことがあったので作りはわかっていました。アナウンサーは選手のピッチ上の動き、パス回しの巧みさ、ボスポラス側のゴールに近づくボールの角度を正確に描写します。私たちは同じアナウンサーの放送を定期的に聴いていて、彼の声、スタイル、言い回しに慣れ親しんでいたため――お気に入りの小説家の作品を読んでいるときとまさに同じように――彼の言葉をやすやすとイメージに変換することができ、実際に試合を見ているような気分になったものです。私たちは放送にやみつきになり、アナウンサーの声と言葉に個人的な強い愛着をもつようになったので、生中継を聴くとスタジアムで試合を見るのと同じくらい満足するほどでした。小説を書いたり読んだりする快楽は、こんなやり方で聴くことから得られる快楽によく似ています。私たちはそれに慣れ、それを欲し、語り手との親密な関係を大いに楽しみます。言葉を通して見ること、そして人に見せることの喜びを感じるのです。

有名な、いまではおおかた忘れられている「客観的相関物」の例を引きたいと思います。これはT・S・エリオットが評論「ハムレットと彼の問題」において定義した概念です(前回の講義との関連で、エリオットがこの論文の冒頭で、劇的作品における主人公の心理――性格(キャラクター)を意味しています――は作品全体の効果ほどは重要ではないと述べていることを指摘しておきます)。「客観的相関物」という言葉でエリオットが意味するのは、芸術家が詩や絵画や小説や他の芸術作品において表現しようと追い求めるもので、ある特定の感情に客観的に相応する――その感情の「製法」となる、それを自動的に呼び起こす――「物一式、状況、一連のできごと」です。小説においての客観的相関物は、言葉で作られ、主人公の目を通して見られる瞬間のイメージであると言えるかもしれません。エリオットは実際、「客観的相関物」という用語をアメリカのロマン派の風景画家、ワシントン・オールストン(一七七九―一八四三年)から借用しました。オールストンは詩人でもあり、コールリッジの友人でした。オールストンの三十年後、ジェラール・ド・ネルヴァル、シャルル・ボードレール、テオフィル・ゴーティエを含むフランスの詩人と画家のグループが、内的・精神的風景が詩のもっとも重要な要素であり、風景画の本質的な構成要素は感情であると宣言しました。偶然にも、この作家たちのうちの二人、ネルヴァルとゴーティエはイスタンブールを訪れ、この都市とその風景について書いています。

アンナがサンクトペテルブルグ行きの汽車に乗っているときどんな気持ちでいるのか、トルストイは語りません。代わりに彼は、その気持ちを私たちが感じる助けとなる絵を描きます。左手の窓から見える雪、コンパートメント内の動き、寒さなどです。トルストイはアンナが赤いハンドバッグから小説を取り出す様子、小さな手でクッションを膝にのせる様子を描きます。それから今度はコンパートメント内の人びとを描きます。まさにこのとき、私たち読者はアンナが本に集中できないこと、彼女が頭をあげてコンパートメント内の人びとに注意を向けていることを理解します――そしてアンナが見ているイメージを作り出すためにトルストイの言葉を頭のなかで変換することによって、私たちは彼女の気持ちを感じるようになります。もし私たちが、叙事詩のようなより古い形態の文学的な物語や、できごとやイメージを主要人物ではなく読者の視点から提示するような類の三文小説を読んでいるのであれば、アンナは小説に没頭しているのだが、語り手が一時的に彼女をさしおいて、背景に色づけするためにコンパートメントを描写していると考えても許されるでしょう。「物語るか、描写するか？」という文章において、ハンガリーの批評家ジェルジ・ルカーチはこの二種類の小説家をはっきり区別しています。『アンナ・カレーニナ』では、私たちはできごと――たとえば競馬――を、アンナの目を通して追い、彼女に強く感情移入します。それにたいし、ゾラの『ナナ』で競馬が描かれるときには、私たちは外部の視点から眺めます。総覧的な描写は「単なる埋め草に過ぎず、展開に不可欠な要素とはとうてい言えない」とルカーチは述べました。作者の意図がどうあれ、私が「小説の風景」と呼んでいるもの――物、言葉、会話、目に見えるものすべて――は主人公の感情に不可欠な、その延長上にあるものとしてとらえられるべきです。これは私が前に触れた、小説の隠れた中心によって可能になります。

ここで私たちは、エリオットが「物一式」と呼ぶものにたどりつきました。この連続講義で私の言う風景とは、都市、通り、店、ショーウィンドー、部屋、内装、家具、日用品のことで、

『赤と黒』の冒頭でスタンダールが提示するタイプの風景——読者の視点から見た小さな町とその住人たち——とはいささか異なります。

小さなヴェリエールの町はフランシュ・コンテでもっとも美しい町のひとつである。赤い瓦のとんがり屋根の白い家々が丘の斜面に広がり、坂道の曲がり目ごとにがっしりした栗の木立が高く枝を伸ばしている。下の谷にはドゥー川が、城砦の数百尺下を流れている。城砦は何世紀も前にスペイン人が建てたものだが、もうずいぶん前に朽ち果ててしまった。

十九世紀半ばの小説芸術の大きな進展と、同時期におけるヨーロッパの富の突然の指数関数的な増大とを関連づけずにはいられません。富は都市や家庭を物であふれさせました。物の豊富さとそのバラエティーは空前のレベルに達しました。ことに都会の生活においては、産業革命によって生み出された巨万の財が、新しい道具、商品、美術品、衣類、織物、絵画、小間物、装飾品を人びとの身のまわりに出現させました。こうした物を描写した新聞、こうした物を使った階級の変わりゆく生活や好み、無数の広告、それに都市の風景における様々な標識や看板は、西洋文化の重要で華やかな一部となりました。この視覚的な豊かさ、物の氾濫、せわしない都会の活況のすべてが、古き良き時代にはとてもわかりやすいものに思われた、よりシンプルな生き方を追いやってしまいました。人びとは、いまや入り乱れる細部のなかで全体像を見失ったと感じ、どこか人目につかない場所に意味が隠されているのではないかと考えるようになりました。新しい生活様式に適応するなかで、近代の都市の住人は、探し求める意味の一部を、世界を豊かにするこれらの物に見出しました。個人の、社会と小説における位置は、その人の持つ家によって、持ち物によって、服によって、部屋によって、家具によって、装飾品によって部分的に決まりました。一八五三年に出版された、詩的でかなり視覚的な小説『シルヴィー』においてネルヴァルが述べるところでは、当時多くの人が古風な建物のなかにあるアパルトマンを飾るために骨董品を集めたとのことです。

バルザックは物や装飾品への社会的・個人的渇望を自分の小説の風景に組みこんだ最初の作家でした。スタンダールの小説『赤と黒』も、ほぼ同時期に書かれたバルザックの『ゴリオ爺さん』も、できごとが起こる舞台を外部から(つまり読者の視点から)見た描写で始まります。スタンダールでは、私たちが足を踏み入れる場所は谷に抱かれた小さい古風な町ですが、バルザックの舞台はまったく異なります。彼はある下宿屋を、通用門と庭から出発して詳細に描き出します。以下の描写はマリオン・エイトン・クローフォードによるバルザックの小説の翻訳『ゴリオ老人』から引きました。そこにあるのは、馬巣(ばす)織りの椅子数脚、上面がサンタンヌ大理石製のテーブル、金色の模様がはげかけた白い磁器のティーセット(「今時どこにでも必ずあるようなティーセット」とバルザックは軽蔑をこめて、だめ押しのように付け加えています)、悪趣味な青みがかった大理石の時計と並ぶ、ガラスの覆いに閉じこめられた造花入りの花瓶、空気中に残る食べ物のにおい、汚れたデカンター、青い縁取りのついた厚ぼったい陶器、晴雨計、金色の玉縁模様のついた黒いニス塗りの木枠に入った、食欲をなくさせるほど粗悪な版画、銅の象嵌細工が施された鼈甲製の枠にはめこまれた時計、緑色のストーブ、埃と油にまみれたランプ、ふざけた下宿人が指の爪で名前を書けるくらい脂汚れのひどいオイルクロスのかかった長テーブル、背のこわれた椅子、ほつれながらもばらばらにならずに踏みとどまっている哀れな様子のイグサのマット、開口部が欠けて広がり、蝶番がこわれ、木が黒焦げになったみすぼらしい足温器です。私たちはこれらの細部を、主要人物たちの家にある物の描写としてだけでなく、大家であるヴォケー夫人の性格(キャラクター)の延長として読みます(「下宿屋が彼女の人格を暗示しているのとちょうど同じように、彼女の全人格が下宿屋の説明となっている」)。

バルザックにとって、物や室内を描くことは、ちょうど探偵が犯罪者の正体を暴くために手掛かりをたどるのと同じように、読者が小説の主要人物たちの社会的地位と性分を推理できるようにする方策でした。(より緻密な小説家である)フローベールが、バルザックによる『ゴリオ爺さん』執筆の三十五年後に出版した『感情教育』では、主要人物たちはバルザックの手法を用いて——人の持ち物、服装、居間を飾るこまごまとした物に注目することで——互いを知り、判断しています。以下はアドリアンヌ・トゥックによる翻訳からの抜粋です。「(マドモアゼル・ヴァトナは)手袋を脱ぎ、部屋のなかの家具と装飾品を品定めした。(…)彼女は(フレデリックの)趣味のよさをほめた。(…)袖口にはレースの縁取りをつけ、緑色のドレスの胴は軽騎兵の上着のようにモールで飾られていた。黒いチュールのボンネットの垂れたふちが少し額にかかっていた」

二十代で西洋の小説を熱心に読んでいたころ、私はしばしば自分の限られた知識の範囲を超える物や服装の描写に出くわしました――そしてそういう物を頭のなかのイメージに変換できないときはいつも、辞書や百科事典を参照しました。しかしそれでも言葉を頭のなかの絵に変える難しさが解消されないこともありました。すると私はそういった物を雰囲気の延長としてとらえようと努め、うまくいくとようやく気持ちが落ち着くのでした。

近代フランス小説を見てみましょう。バルザックにおいて主人公の社会的地位を明らかにする物質的な物は、フローベールでは個人的な好みや性格(キャラクター)といった、より細やかな特性を示す役割を果たしえます。ゾラにおいては、物は作者の客観性の表明であるかもしれません。ゾラはこんな風に考えるタイプの作家です。「ああ、アンナは読書中だ――じゃあその間に少しコンパートメントの描写をさせてもらおう」。同じ物が(もはや同じ物ではないのかもしれませんが)、プルーストにおいては過去の記憶を呼び起こす刺激に、サルトルにおいては存在への嘔吐の症状に、ロブ＝グリエにおいては人間に依存しない神秘的で遊び心のある存在になりえます。ジョルジュ・ペレックにおいては、物は退屈な商品で、その詩趣は、ブランドを加味しシリーズやリストとして並べることで初めて見えてきます。これらの見方は、文脈に応じて、どれも説得力があります。しかしもっとも重要な点は、物が小説における無数の不連続の瞬間の象徴やしるしであるとともに、その重要な一部でもあるということです。

小説を読むとき、私たちの頭は同時進行で複数の作業をします。一方では、主要人物たちの視点から世界を見て、彼らに感情移入します。また一方では、頭のなかで物を主要人物たちのまわりに集め、描写された風景の細部を彼らの感情と結びつけます。小説を書くことは、主要人物それぞれの気持ちや考えを、彼を取り巻く物と結びつけ、それからそのすべてを一筆で手際よく一文に混ぜこむことを含みます。私たちはできごとと物、ドラマと描写を、直感的な読者のように分けることはしません。それらを統合された全体として見るのです。「描写はとばしているよ！」と言う読者のテクストへのアプローチはもちろん直感的です――しかし、できごとと描写を分けている作者こそ、実はこの直感的な反応を引き出しているのです。いったん小説を読み始め、そのなかに入り込んだとき、私たちは特定のタイプの風景を見るわけではありません。そうではなく、瞬間と細部の広大な森のなかで自分がどこにいるのか、本能的に判断しようとします。でも個々の木――つまり、小説を作りあげている個々の瞬間や文――に出くわすと、できごと、流れ、ドラマだけでなく、その瞬間の視覚的相関物を見たいと感じるのです。小説はこのようにして、私たちの頭のなかにリアルで立体的で説得力のある世界として映るのです。そうなると、できごとと物、ドラマと風景の境目を感じるよりも、人生においてと同じく、すべてを覆う統一感をおぼえます。小説を書いているとき、私はつねに頭のなかで物語の一コマ一コマを見る必要性、そしてぴったりのコマを選ぶ、または生み出す必要性を感じています。

ヘンリー・ジェイムズから次の例を考えに入れてください。『金色の盃』の前書きで、彼は語りの視点にどの脇役を選ぶかを決めた経緯について説明しています(ジェイムズにとって、これはつねにもっとも重要な技術的問題でした)。彼は「私の物語を見る」という表現を使い、それから語り手を「画家」と表現しています。これは、語り手ができごとから距離を保ち、その道徳的ジレンマに巻きこまれずにいるからです。ジェイムズは、小説家であるということは言葉で絵を描くことを意味するとつねに感じている作家です。前書きや評論において、彼は「パノラマ」「絵」「画家」といった言葉を、文字通りの意味でも比喩的な意味でもたえず使っています。

プルーストがその生涯を捧げた有名な作品について言った言葉 “Mon volume est un tableau”(「私の本は絵画です」あるいは「私の小説は絵です」)を思い出しましょう。『失われた時を求めて』の終盤、登場人物のひとり、ベルゴットという名の有名な作家が病気で寝ていて、フェルメールの《デルフトの眺望》に小さく描かれた黄色の壁についてある批評家が書いたということをたまたま新聞で読みます。批評家によれば、その細部は非常に美しく描かれており、古代中国の傑作にも匹敵するというのです。ベルゴットは起き出して、いまひとたびフェルメールの絵を見るために美術館に行きます。彼はその絵を熟知しているという自信がありますが、そのすばらしい黄色を見るや、彼は悲しげに最後の言葉を発します。「あのように私は書くべきだった。(…)私の最近の本はどれも無味乾燥すぎる。色の層を重ねて、この小さな黄色の壁のように、私の言葉そのものに価値をもたせるべきだったのだ」(C・K・スコット＝モンクリーフとスティーヴン・ハドソンの翻訳からの引用です)。作品のなかに描写を入れるのを楽しんだ多くのフランスの小説家の例にもれず、プルーストは絵画に大いに関心をもっていました。ここで彼は、作家の主人公ベルゴットを通して、彼自身の気持ちを忠実に反映した見解を表明していると私は感じます。でもまずは、笑顔であのお決まりの質問をしましょう。「プルーストさん、あなたはベルゴットですか？」

私が敬服する偉大な小説家たちが画家のようになろうと努めた理由、絵画をうらやんだ理由、「画家のように」書けないことを残念がる理由を理解するのは私にとってたやすいことです。なぜなら小説を書くことの課題は世界を想像することだからです——その世界は、最終的に言葉の形をとる前に、まずイメージとして存在します。頭のなかに思い浮かべているイメージを言葉で表現して、この想像の産物を読者が共有できるようにするのはもっと後のことです。そして小説家は、ホラティウスの画家のように一歩下がって自分の作品を離れた場所から落ち着いてじっくり眺めることはできないので(というのも、そのためには小説全体を再度読み直すことが必要になるので)、画家よりもはるかに、個々の細部を――森よりも木々を、物が表すひとつひとつの瞬間を――よく知っています。絵画はミメーシスの一形態です。つまり、現実の表象を提供してくれます。絵を見つめるとき、私たちはその絵が属する世界だけでなく、ハイデガーがゴッホの傑作《一足の靴》を見て感じたことを感じとります。それは絵の客観的実在性、絵が物であるということです。というのも絵が、世界の表象とその世界のなかの物とに私たちを向き合わせたからです。しかし小説においては、私たちは書き手の描写を自分の想像のなかのイメージに変換することによってしか、こうした世界や物と出会うことができません。聖書は「はじめに言葉があった」と宣言します。小説芸術は「はじめに絵があるように思われるが、それは言葉によって語られねばならない」と言うかもしれません。そして皮肉なことに、絵画史全体――ことにおおむね説明的だった近代以前の絵画――は「はじめに言葉があったが、それは絵で語られねばならない」と言っています。

言葉とは対照的な、イメージの力と直接性は、小説家たちが――状況を本能的に理解して

——画家にたいして感じるひそかな劣等感や抜きがたい羨望の理由を明らかにします。しかし小説家は単に画家になりたい人物ではありません。むしろ、言葉と記述によって絵を描く能力を追い求めているのです。小説家は二つの平行する義務を感じています。ひとつは主要人物たちに同化し、世界をその目を通して見ること、もうひとつは言葉で物を描写することです。ヘンリー・ジェイムズは『金色の盃』の語り手ができごとから距離をとっていることをもって「画家」と呼んだかもしれません——しかし私にとってはまさにその逆が真実です。小説家が画家のやり方で物を描写できるのは、登場人物にも彼らを取り巻く物にも同じくらい関心をもっているため、そして小説の世界の外部にいるのではなく、そのなかに完全に浸っているためなのです。フローベール的 mot juste(ぴったりの言葉)以前に小説家が見つけるべき image juste(ぴったりのイメージ)が発見できるのは、書き手が小説の風景、できごと、世界のなかに完全に入りこんだときに限られます。またこれは、小説家が自分が描いている人びとにたいして感じるべき共感を示すことのできる唯一の方法でもあります。そこで私たちは次のように結論づけねばなりません。小説における物の描写は、登場人物にたいしておぼえる共感の結果であり表れである(あるいは、そうあるべきだ)。

私のアイデンティティーの一部は、具象描写の芸術とはあまり折り合いのよくないイスラム文化に根ざしているため、私自身の人生から例をあげてみます。私の子ども時代のイスタンブールには、宗教色のない国家による奨励にもかかわらず、広範囲な考察や分析に値するような美術作品は存在していませんでした。その一方でイスタンブールの映画館は、上映される映画の性質にかかわらず、映画を観ることを大いに楽しむ群衆であふれかえっていました。しかし映画においては、近代以前の文学的な物語や叙事詩と同じく、私たちはたいていフィクションの世界を主人公の視点からではなく、外側から、遠くから眺めます。もちろん、映画の多くは西洋から、キリスト教世界から来たものでした――でも私は、小説にせよ映画にせよ、地元出身の主人公にも外国出身の主人公にも私たちが共感できないのは、絵画芸術に興味がないせいだと心の奥底で感じていました。しかし私にも完全に理解できたわけではありませんでした。もしかしたら、他の人びとの目を通して物語を見ることが、自分の属する共同体の信念とのつながりを断ち切ってしまうことを私たちは恐れていたのかもしれません。小説を読むことで私は伝統的な世界から近代的な世界へと導かれました。これは、自分が属すべき共同体とのつながりを断ち切ることも意味しました。代わりに私は、孤独のなかへと進んだのです。

人生の同時期、二十三歳のときに、私は七歳のころからずっと抱いてきた画家になるという夢をあきらめ、小説を書き始めました。私にとってこれは、幸福感にかかわる決断でした。子どものころ、私は絵を描いていればとても幸せでした――しかし突然、これといった理由もなく、この楽しさが消えてしまったのです。その後の三十五年間、小説を書きながら、自分はほんとうは絵の才能のほうにもっとずっと恵まれているのにと思い続けました。でも自分にはよくわからない理由で、私は言葉を使って描きたくなったのです。私はつねに、絵を描いているときは子どものような直感的な気分を強く感じ、小説を書いているときは大人らしく自意識的な気分を感じます。小説は知性のみで書き、絵は才能だけで描いているかのようでした。自分の手が線を引いたり色を塗ったりすると、私は驚嘆に近い気持ちで自分の手を眺めました。私の頭が起こっていることを把握するのはそれよりずっと後のことでした。そして、小説を書いているときに有頂天になると、数えきれないほどのナボコフ的「神経終末」、分割不可能なアリストテレス的瞬間のただなかで、自分がどの位置にいるのか正確に感じとるにはかなり時間がかかりました。

ヴィクトル・ユゴーからアウグスト・ストリンドベリまで、絵画の制作にも楽しみを見出した小説家は数多く存在します。ストリンドベリは荒々しいロマン主義的な風景画を描くのが好きで、自伝的小説『女中の子』のなかで、絵を描くと「えもいわれぬ幸福――ハシーシを服用した直後のような」を感じたと述べています。絵を描くということの喜びを初めて経験したとき、彼はまだ二十三歳で、私が描くのをやめたのとまさに同じ年齢でした。小説を書くことと絵を描くことの両方において、究極の目的は、このような計り知れない幸福感に達することでなければなりません。

博物館・美術館と小説

もうずいぶん前から、私はイスタンブールに博物館を設立しようとしています〔二〇一二年「無垢の博物館」開館〕。十年前、執筆に使っている仕事場に近いチュクルジュマ地区にある廃屋を手に入れ、一八九七年に建てられたその建物を、建築家の友人たちの助けを借りて徐々に改造し、モダンな外見で私の好みを反映した博物館スペースに変身させました。同時に私は小説を書いていて、そのかたわら、中古品店、蚤の市、物をためこむのが好きな知人の家にある品々に目を光らせてもいました。私が探していたのは、私の小説の焦点である架空の家族が使っていたかもしれない物です。私の想像のなかで、一家はその古い家に一九七五年から一九八四年まで住んでいたのです。私の仕事場は次第に、古い薬瓶、ボタンの入った袋、国営宝くじの券、トランプ、衣類、キッチン用品でいっぱいになりました。

こうした品々を小説に使おうと意図して、私は物に合った状況、瞬間、場面を想像しました。その多くは(マルメロおろし器など)衝動買いした物でした。一度は古着屋を物色していてオレンジ色のバラと緑の葉の模様のついた色鮮やかなワンピースを見つけ、小説のヒロインであるフュスンにぴったりだと判断しました。ワンピースを目の前に広げて、私はフュスンがまさにその服を着て車の運転を習うシーンの細部を書きました。別のときには、イスタンブールの古書店で一九三〇年代の白黒写真を見つけました。私はそれが登場人物のひとりの若いころを写したものであると想像して、物語がそこに写っている物のあいだをぬって流れるようにし、その写真の描写を入れさえしました。さらに、ほかのいくつかの小説でもしたように、登場人物たちに私自身の特質、あるいは母の、父の、親戚たちの特質を多く与えようと計画しました――そこで、家族に属していて、私が愛着をもって記憶している様々な物を選び、その品々を目の前に置きました。こうした物を詳細に描写し、私の物語の一部にしたのです。

このようにして私は『無垢の博物館』を書きました――私に霊感を与える物たちを見つけ、じっくり眺め、描写することによって書いたのです。あるいは、まさにその逆もしました。小説が必要とする物を求めて店を渡り歩いたり、芸術家や職人に注文して作らせたりしました。小説が完成した二〇〇八年までには、仕事場と家には物がうずたかく積みあがっていました。

そして私は小説に描いた無垢の博物館の実物を作ることを決意しました。でも、いま私が話したいのはこの博物館のことではありません。また、物語に出てくる物を集めることで、あるいはこうした物にまつわる記憶を出発点として用いることで、小説を構築するというアイディアのことでもありません。私の焦点は、現実に存在する物——絵画、写真、服——を小説と結びつける理由です。まず最初に考察するのは、小説家の嫉妬です。前に絵と物について話したときに触れましたが、それは半ば秘められた、おそらく無意識の、画家にたいする羨望です。ハイデガーが美術品の客観的実在性と呼んだものとは対照的に、私がここで言っているのは小説を読んでいるときに感じる物足りなさ——小説が読者の想像力の自発的な参加を必要とするという事実から生まれる感覚です。

私たちが小説を読むとき、小説という媒体を通して考えるときに感じる物足りなさを描写してみましょう。どんどん物語のなかに入っていって細部やできごとの森のなかに嬉々として迷いこむと、小説の世界は実生活よりはるかに充実したものに思われます。そのひとつの理由は、小説の隠れた中心と、人生のもっとも基本的な部分との関係——小説に力を与え、人生そのもの以上に本物らしさを感じさせる関係です。もうひとつの理由は、小説が日常的で普遍的な人間の感覚でできていることです。さらに別の理由は、私たちが小説に——これは犯罪小説、恋愛小説、SF、官能小説といったジャンル小説にも全般的に当てはまることですが——自分自身の人生に欠けている感覚や体験を見出すというものです。

理由はどうあれ、私たちが小説のなかで出会う世界の音、におい、イメージは、人生そのものには見出せない本物らしさの感覚を呼び起こします。しかしその一方で、小説が実体のあるものを私たちの目の前に差し出すことはありません——手を触れられる物も、においも、音も、味も、ひとつとしてないのです。すぐれた小説を読んでいるとき、私たちの頭の一部は、現実に——それもその現実の奥底の深みに——浸っていると思い、人生とはまさにこの体験のようだと考えます。しかしその間、私たちの五官は、そんなことはまったく起きていないことを伝えています。この矛盾した状況のせいで、満たされていない感じが残るのです。

読んでいる小説の力強さと説得力に比例して、物足りなさが与える苦痛は強くなります。私たちの魂の直感的(ナイーヴ)な部分が小説を信じ夢中になる度合いが大きいほど、そこに描かれている世界がたんなる空想であるという事実を受け入れなければならないことにたいする失望はいっそうつらいものになります。こうして生まれるフラストレーションを解消するために、小説の読者は、自分が読んでいることの大部分は作者の想像の産物だと知りながらも、フィクションのなかの世界の確かさを自分の五官で実証したいと願います。それは、文学理論とフィクションの性質に精通しているにもかかわらず、私が小説の主人公ケマルではないことを忘れた友人の教授とまさに同じです。

三十歳にして初めてパリに行ったとき、おもだったフランスの小説をすべて読んでいた私は、本のなかで出会った場所へと急ぎました。バルザックの主人公ラスティニャックのようにペール・ラシェーズ墓地の高台からパリを見下ろしに行き、そのふつうさに驚きました。それでも私の最初の小説『ジェヴデット氏と息子たち』では、明らかにラスティニャックを手本としている主人公を作りあげました。二十世紀、小説芸術の舞台となったヨーロッパの主要都市は、小説という媒体で世界について学び、自分が学んだことはたんなる想像の産物ではないと信じたかった非西洋の作家の卵たちでいっぱいでした。『ドン・キホーテ』の本を手にしてスペインを旅する小説好きがいることは一般に知られています。皮肉なのはもちろん、セルバンテスの主人公自身が騎士物語と現実の区別がつかず、混乱していることとです。フィクションと現実の狭間にとらわれた知性のもっとも特異な例はウラジーミル・ナボコフです。彼はかつて、すべての小説はおとぎ話だと言いましたが、『アンナ・カレーニナ』の背後にある「事実」を明らかにする注釈付きの版を編纂しようとしました。そのプロジェクトが完成することはありませんでしたが、彼はアンナがモスクワからサンクトペテルブルグへの旅で使った列車の車両のレイアウトを調べて絵に描きました。女性に割り当てられたコンパートメントの簡素さ、経済的な余裕のない乗客用の座席の位置、ストーブの場所、窓の形、モスクワからサンクトペテルブルグまでの距離のマイル換算を、彼は注意深く書きこみました。すべてトルストイが無視して含めなかった情報です。そうした注釈が小説やアンナの考えの理解にそれほど役に立つとは思いませんが、私たちはそれを読んで楽しみます。その情報のおかげで、アンナの物語は現実だと思うことができ、彼女の存在がいっそう信じられるようになり、少しのあいだだけ、失望と物足りなさを忘れることができます。

読者としての私たちの努力は、虚栄心という重要な要素を含んでおり、ここでそれに触れたいと思います。すでに述べたように、私たちが小説を読むときには、絵を見るときとは違って現実のものに出会うことはなく、実は私たち自身こそが、言葉を頭のなかのイメージに変換し、自分の想像力を使って小説の世界を存在させています。どの読者もある特定の小説をその人固有のやり方で、その人固有のイメージで記憶します。もちろん、想像力を使うことにかんしては、少々ものぐさな読者もいれば、かなり勤勉な読者もいます。ものぐさな想像力を相手にする作家は、ある特定のイメージが頭のなかに現れるときに読者が感じるべき感情や考えを明確に伝えます。それにたいし、読者の想像力を信頼する小説家は、小説の瞬間を構成するイメージを言葉で描写し明らかにするのみで、感情や考えは読者にゆだねます。ときには——実際にはしょっちゅう——私たちの想像力はイメージやそれに対応する感情を形にすることができず、「この小説は理解できなかった」という感想をもちます。しかし、自分の想像力のエンジンをかけようと懸命に努め、作家が示唆するイメージ、あるいはテクストが私たちの頭のなかに作り出そうとするイメージを視覚化しようと本気で努力することもよくあります。そして、理解し視覚化しようとする努力のせいで、小説にたいするある種の誇らしい所有意識が徐々に湧いてきます。この小説は自分だけのために書かれたのだ、自分だけがほんとうに理解しているのだと感じ始めるのです。

この所有意識は、私たち読者こそが、頭のなかで視覚化することで小説を存在させるという事実にも根ざしています。結局のところ小説家は、小説の具現化を果たすため、小説を「機能」させるために、勤勉で寛容で洞察力のある、私たちのような読者を必要としているのです。そして自分がこの特別な種類の読者であることを証明するために、私たちは小説が想像の産物であることを忘れたふりをします。それゆえにできごとの舞台となっている都市や通りや家を訪ねたいと思うのです。この欲求には、小説の世界をよりよく理解しなければという気持ちと、すべてが「想像通り」であることを確かめずにはいられない気持ちが同程度含まれています。l'image juste(ぴったりのイメージ)——le mot juste(ぴったりの言葉)を用いる小説家によって呼び起こされたもの——を現実の通りや家や物に見ると、小説から感じる物足りなさが軽減されるだけでなく、私たち読者は細部を正確に想像できたという誇らしさで満たされます。

この種の誇らしさとその変種が、小説と博物館・美術館を、あるいは小説の読者と博物館・美術館を訪れる人をつなぐ共通の感情です。ここでのテーマは博物館・美術館ではなく小説です。しかし、小説を読むときに私たちの想像力に火をつける動機を具体的に説明するために、誇らしさと博物館・美術館というこの例について見ていきたいと思います。対戦相手の次の動きを読むチェス・プレーヤーのように、小説家はつねに読者の想像力とそれをかきたてる欲望や動機を計算に入れていることを思い出してください。読者の頭がどのように反応しそうかということが、小説家にとって考慮すべきもっとも重要な事項のひとつなのです。

博物館・美術館と小説という複雑なテーマは三つの部分に分けると論じやすくなります。でも、三つの部分は互いに関連していて、誇らしさが共通項であることをおぼえておきましょう。

一、自尊心

今日の博物館・美術館の起源は、裕福な権力者のヴンダーカンマー――「珍品の小部屋」――にあります。権力者たちは十七世紀以降、遠く離れた国や珍しい産地からの貝殻、鉱石のサンプル、植物、象牙、動物の標本、絵画を展示することで自らの富をひけらかしました。この意味では、最初の博物館・美術館はヨーロッパの諸侯や王たちの宮殿のもっとも壮麗な部屋や広間――支配者たちが自らの権力、趣味、洗練を、物や絵画を通して誇示した空間――でした。この支配的なエリートが権力の座を追われ、ルーブルのような宮殿が公共の美術館になっても、その象徴的意味合いはほとんど変わりませんでした。ルーブルはフランスの王たちの富ではなく、全フランス市民の力と文化と趣味を表すものになりました。稀少な絵画や工芸品はいまや一般の人びとの視線が届くものになったのです。博物館・美術館の発展と、文学ジャンルの歴史的変遷には大まかな類似を見出すことができます。つまり、王や騎士たちの冒険についての叙事詩や物語が、中産階級の生活を扱う小説に取って代わられるという流れです。しかしここで私が論じたいのは、博物館・美術館と小説がもつ、象徴し代表する力ではなく、両者のアーカイブとしての性質です。

小説がその喚起力を、私たちの毎日の体験や感覚に頼り、人生の本質的な特徴をとらえることから得ていることにはすでに触れました。小説はさらに、豊かで力強いアーカイブ——人間に共通の感情、日常の物にたいする感じ方、身振り、発言、態度の記録庫——を形成します。様々な音、言葉、口語表現、におい、イメージ、味、物、色が記憶として残るのは、ひとえに小説家がそれらを観察し、文章中に注意深く記録するためです。博物館・美術館で、ある物や絵の前に立つとき、私たちはそれが人びとの生活や物語や世界観にどのような位置を占めていたのか、カタログの助けを借りて推測することしかできません——それにたいし、小説においては、イメージ、物、会話、におい、物語、信念、感覚が、当時の日常生活に組み込まれた一部として描かれ、保存されています。

小説のアーカイブとしてのこの性質、習慣や態度や生活様式を保存する収容力は、くだけた日常の言葉を記録することにかけてとりわけ効力を発揮します。マルグリット・ユルスナールは、秀逸な文章「歴史小説のトーンと言葉」において、語りの声を見つけるためにどんな本や作家や回想録を読んだかについて述べ、彼女の名高い歴史小説『ハドリアヌス帝の回想』と『黒の過程』の雰囲気をどのようにして生み出したかを説明しています。彼女は論考の冒頭で、十九世紀に蓄音機が発明されるまで、前の世代の声は失われてしまって取り返しがつかなかったことを指摘しています。何千年もの歴史を生きた、何百万もの人びとの言葉や声はただ消えてしまったのです。同様に、十九世紀の偉大な小説家と劇作家以前には、人びとの日常の会話を、その即興性、支離滅裂な論理、複雑さを、そのまま記録する作家はいませんでした。ユルスナールは小説の重要な機能に光をあてています。すなわち、小説は生活からそのままとられた、文体的加工によって変えられていない日常の表現を含んでいるのです――「豆をこっちにちょうだい」とか「ドアを開けっぱなしにしたのは誰？」とか「雨が降りそうだから気をつけな」などといったものです。

もし、小説を定義する核となる性質が、日常の観察に光をあて、そして人生のより深い意味を明らかにするために想像力を通してその観察を再構成することだとしたら、ユルスナールの指摘は、小説芸術が今日の形で完成したのは十九世紀になってからだという結論に私たちを導きます。日常の言葉の力強さと説得力という要素抜きの小説を想像するのは困難です。なぜなら日常の言葉は、小説の世界が土台とする散文的な瞬間やふとしたときの感覚が自然に流れる導管だからです。もちろん、こうしたくだけた会話を詳細に記録して、段落ごとにひとつずつ、ページ上に間隔をあけて並べなければならないということではありませんし、小説の風景を支配させる必要もありません。これは、他の多くのこととともに、プルーストから学ぶべき重要な教訓のひとつです。

博物館・美術館が物を保存するのとまさに同じように、小説は人びとが日々考えていることや、思考が脈絡なくあることから次のことへと飛躍するやり方を、口語で表現することで、言語のニュアンスやトーンや色合いを保存します。小説は単語や決まり文句や熟語を保存するだけでなく、それらが日常のやり取りにおいてどのように使われているかを記録します。ジェイムズ・ジョイスを読めば、子どもが話し方を学んでいるのを聞いているときと同じ言葉遊びや創意に富んだ言葉の使い方に出会います。ジョイス以後、内的独白の様々なバリエーションと戯れた偉大な小説家たちはみな――フォークナーからウルフまで、ブロッホからガルシア・マルケスまで――私たちの思考の働き方にかんしてはジョイスほどの説得力をもつことはなかったものの、言葉が私たちの人生に影響を与えるやり方の魅力や奇妙さにかんしてははるかに多くの楽しみと洞察を与えてくれました。

日常の言葉をとらえることは散文フィクションの定義となる特性で、この点において最初のトルコ語の小説は(どの文化においても「最初の」小説を特定しようとすると熱を帯びた論争が繰り広げられます)、一八九六年に出版されたレジャイザーデ・マフムード・エクレムの『馬車に恋して』です。西洋化、西洋崇拝の危険性、親西洋知識人たちの空威張りに焦点をあてるこの小説は、オスマン・トルコで生み出され、「東－西小説」として知られる、今日でもまだ現役のジャンルの最初の例のひとつです(私自身の『白い城』も東－西小説の伝統に微力ながら寄与していま す)。『馬車に恋して』は、十九世紀後半のオスマン帝国の知識人たちの描写において滑稽で秀逸になりえます——西洋のまねをしたいという彼らの欲求、その結果である「悲喜劇的混乱」(批評家のジャーレ・パルラによる表現)が、ときにほとんど理解不能なトルコ語とフランス語のちゃんぽんで表現されています。同様の不自然さはトルストイによって『戦争と平和』で描かれています。それはナポレオンに戦争を仕掛ける一方で、日常生活でフランス語を話すロシアのエリートの会話スタイルの再現に見られます。しかし『馬車に恋して』には『戦争と平和』のような野心的な構成や深遠さはありません。単なる写実主義的な風刺です。小説の隠れた中心——トルストイ、ジョージ・エリオット、トーマス・マン(あるいはここ数十年で言えばV・S・ナイポール、ミラン・クンデラ、J・M・クッツェー、ペーター・ハントケのもっともすぐれた作品)を読んでいるあいだ私たちの頭の一部が深く考えながら探し求め続けるもの——は、エクレムにおいて私たちの好奇心をそそることはありません。この奇妙でユニークな小説を初めて読んだとき、私は突如としてオスマン朝の知識人の頭のなかに入りこみ、一八九〇年代のイスタンブールの日常の言葉に浸る喜びを感じました。悲しいことに、このような生き生きとした描写や話し言葉の創造的な使い方は、小説を書く喜びのうち最大のものに数えられますが、別の言語に翻訳されると失われてしまいがちです。

ユルスナールの言うとおり、日常の発話が小説の出現以前は記録されていなかったという事実は、「歴史小説」として知られているもののばかばかしさ——ありえなさ——に気づかせるはずです。ヘンリー・ジェイムズが歴史小説の「致命的な安っぽさ」とその読者の無邪気さ（ナイーヴ）に言及したとき、彼は言語のことだけを言っていたわけではなく、別の時代の意識に入りこむことの難しさも指していました。私自身の歴史小説である『わたしの名は赤』を書いていたとき、日常生活の細部を見つけるためにオスマン朝の法廷記録、商売の記録、公的な言説を細かく読んでも、理解のギャップを埋めるのに十分ではないと私は気づいていました。物語が作り物であることを明らかにし、大げさに示し、そうすることによって、私たちには知りようのない十六世紀イスタンブールの会話の偽物をでっちあげるのは避けようと決めました。ときおり、私の人物たちはページからこちらを見て読者に直接語りかけます。私はまた、特定の物や絵に話をする能力を授けました。そして現代の世界への言及を多数含めました——実際、小説のなかの家族の日常生活は、私と母と兄の生活に基づいています。

一九八〇年代以降、大まかに「ポストモダン的」と言える改革が世界の小説において起こりました。それはホルへ・ルイス・ボルヘスやイタロ・カルヴィーノといった作家たちの影響から始まったものです。ボルヘスやカルヴィーノは厳密な意味での小説家というよりも、本質的にはフィクションの形而上学の研究者でした。彼らの作品は小説の真正さと説得力――ヘンリー・ジェイムズと同じぐらいユルスナールの関心事でもあったもの――を増し、小説というメディアを通して考える伝統を強めました。

しかし、小説の博物館的性格のうち、私が詳しく見ていきたいのは、人に考えさせる役割よりも、保存、保全、忘れられることにたいする抵抗です。博物館に自分たちの過去のなにがしかが保存されていると考え、そう考えることに喜びを見出して日曜日に博物館を訪れる家族のように、読者もまた、小説に自分たちの実生活の一部が組み込まれているのを発見すると大きな喜びを感じます――自分の通りのはしにあるバス停、自分が読んでいる新聞、大好きな映画、自宅の窓から見える夕日、自分が飲んでいるお茶、目にするポスターや広告、自分が歩く裏通り、大通り、広場、そして――『黒い本』がイスタンブールで出版されてから私が目の当たりにしたように――自分の行く店(たとえばアラジンの店)。この喜びの理由はおそらく、私たちが博物館・美術館にたいしてもっている幻想と、そこから生じる誇らしさに相通ずるものでしょう。つまり、歴史は空虚で無意味なわけではないという感覚、それに、私たちが生きている生のなにがしかが保存されていくという感覚です。小説と詩の不滅を信じる、ありがちで実体のない確信——ときに私ものみこまれることがあるもの——は、ひとえにこの誇らしさと慰めを強める方向に作用します。小説は物自体を保存するよりむしろ、私たちの物との出会い、つまり私たちの物にたいする感じ方を保存するので、小説の読者が得る喜びは博物館に行く人の喜びとは異なります。

ほかの多くの小説家と同じく、私はよくこんなことを言われます。「パムクさん、これはまさに私が見たまま、感じたままです。まるで私自身の人生について書いてあるみたいです！」この善意の言葉を聞いて、喜ぶべきなのか悲しむべきなのかいつも迷います。なぜなら、こう言われるたびに、自分は想像力を使って何もないところから物語を作り出す創造的な小説家というより、共同体として私たちが共有している生活を、決まり文句やイメージや物も含めて、単純に記録する年代記編者であるように感じられるからです。私はこれを名誉と満足を与えてくれる仕事だと考えています。しかし心優しい読者によるこの善意の言葉は——共同体やイメージや物が時の経過とともに、歴史的変化とともに変わり、散り散りになるにつれて——小説もまた忘れ去られるという印象を与えます。そして実際、そうなることが多いのです。小説の永続性と作家の不朽の名声というお題目は、おわかりになるように、人間のうぬぼれにしっかりと根ざしています。

二、優越感

フランスの社会学者ピエール・ブルデューは、社会的文脈における差異というテーマについて幅広く論じています。その様々な側面のひとつとして、彼は芸術愛好家が芸術品に喜びを感じる際に経験する優越感に迫ります。ブルデューの所見の一部は美術館と美術館を訪れる人びとにかんするものですが、私は彼の考えを小説家と小説の読者に適用したいと思います。

十年ほど前にイスタンブールの知識人のあいだで流行した話から始めましょう。プルーストの抄訳二作品が一九四〇年代と一九六〇年代に出版されたのち、ロザ・ハクメンがプルースト全七巻を一九九六年から二〇〇二年のあいだにトルコ語に翻訳しました。彼女はトルコ語の特性である長い文との相性のよさやその他の表現の機微を効果的に駆使し、イスタンブールの新聞の多くは彼女の翻訳を絶賛しました。プルーストはラジオ、テレビ、出版物で多く取りあげられ、小説の最初のほうの巻はベストセラー入りしたほどでした。ちょうどそのころ、イスタンブール工科大学では大勢の新入生が年度初めの登録のため列を作っていました。話というのはこうです。その列の後ろのほうで待っていた女子学生――アイシェという名にしておきましょう――がハンドバッグから *Kayıp Zamanın İzinde*(『失われた時を求めて』)をいくぶん見せびらかすように取り出して読み始めました。ときどき彼女は本から顔をあげて、これからの四年間を共に過ごす学生たちを眺めました。とくに気になったのは列の少し前のほうに立っている女子学生――ゼイネプという名にしましょう――で、ハイヒールを履き、化粧が濃く、趣味の悪い高価なワンピースを着ていました。ゼイネプの中身のなさそうな様子を鼻で笑いつつ、アイシェはプルーストをもつ手に力をこめます。しかし、少したって本から目をあげると、ゼイネプがまったく同じ本をハンドバッグから取り出して読み始めるのが目に入り、アイシェは愕然とします。自分がゼイネプのような外見の女子と同じ小説を読むなんてありえない、と考えた彼女はプルーストへの興味をすっかり失うのです。

　アイシェのような娘が美術館に行く理由の一部は、自分がゼイネプとは違うことを証明するためだということを示す一方で、ブルデューはこのような決断がかなりの割合で階級意識や共同体意識に影響されることも明らかにします。先の話からわかるように、同じ要因が小説を読むことにも当てはまります――しかしその経験には個人の特質やより深い個人的な事情がかかわっており、ここではそれを強調したいと思います。すでに述べたように、小説を読むとき、私たちは作者の言葉を視覚化して、書き言葉で提示されたイメージを見ることに多大な努力を傾けるがゆえに、作者は自分だけに語りかけていると感じることがよくあります。やがては、ある特定の小説にたいして多大な想像力を費やしたという理由でその小説を愛するようになります。ページに折れ目がつき、はしがめくれた小説を私たちが手放せないのはそういうわけです。一九八〇年代、イスタンブールに大勢の観光客が来るようになったばかりのころ、観光客がホテルに置いていった本を売る古本屋に行くたびに、私が読みたい小説はめったに見つからず――売りに出されているのはたいていがけばけばしいペーパーバックでした――人びとが捨てる本は努力せずに読めた本だけなのだと感じました。

小説を読み視覚化することに私たちが注ぐ努力は、特別になりたい、自分をほかの人たちと区別したいという欲求とつながっています。そしてこの気持ちは、自分たちとは異なる人生を送る小説の登場人物たちに同化したいという欲求にもつながります。『ユリシーズ』を読んでいるとき、私たちはまず、自分とはかけ離れた生活、夢、環境、恐れ、計画、伝統をもつ登場人物たちに同化しようとすることでいい気分になります。でもそれから、自分が「難しい」小説を読んでいるという意識をもつことでこの気分はさらに高まります――そして頭の片隅で、自分は卓越した活動に携わっているのだと感じます。ジョイスのような手ごわい作家の作品を読むとき、私たちの脳の一部はジョイスのような作家を読んでいる自分にうっとりしています。

アイシェが登録の日にハンドバッグからプルーストを取り出したとき、彼女は並んでいる時間を無駄にするまいと考えていました。しかしおそらく、彼女には自分の差異を示したいという気持ちもあり、自分と同類の学生を見つけられるような社会的な身振りをしていたのです。アイシェを、自分の身振りの意味をはっきり自覚している自意識的（センチメンタル）かつ思索的な読者と言い表すことができるでしょう。そしてゼイネプは、アイシェにくらべて、小説が読者に授ける卓越性にあまり気づいていない直感的(ナイーヴ)なタイプの読者である可能性が高そうです。少なくとも、ゼイネプがアイシェの目にそう映ったということは間違いなく言えるでしょう。読者の直感的傾向と自意識的傾向は——小説の技巧にたいする意識同様——小説が読まれる文脈と方法への関心、それにこの文脈における作者の地位とかかわっています。

対比として、ドストエフスキーが史上もっとも偉大な政治小説である『悪霊』を書いたのは、自分と政治的に敵対するロシアの西洋派や自由主義者に向けたプロパガンダとしてであったことを思い出しましょう——それにもかかわらず、今日この作品が読者に与える最大の楽しみは、まざまざと描き出された人間性です。小説が書かれた文脈は重要ではなく、どこで読まれるかも問題ではありません。唯一重要なのは、テクストが私たちに語る内容です。テクストに浸りたいという欲求は、どんな企業や政府が美術館をプロパガンダに用いていようと気にせず、時を超越した絵画の美とひとり向き合いたくて美術館を訪れる人の欲求に似ています(トーマス・ベルンハルトはこの欲求を巧みに扱った小説『古典絵画の巨匠たち』を書きました)。しかし、小説の「時を超越した」美について述べることはできません。なぜなら小説は読者の想像のなかでしか完成形をとることができず、読者はアリストテレス的「時」のなかで生きているからです。絵を見るとき、私たちはただちに全体の構成を把握します——しかし小説において、全体の構成にたどりつき、その「時を超越した」美に達することができるためには、すべての木を想像のなかで一本ずつ形にすることで大きな森に少しずつ分け入っていかなければなりません。書き手の意図、彼の文化の問題、その小説の細部とイメージ、小説が想定している読者についての知識を最初からもっているのでなければ、そのような視覚化を成し遂げ、言葉を絵に変換することはできません。私たちが今日知っている形の小説芸術は、十九世紀半ばにバルザック、スタンダール、ディケンズが発展させたもの——当然の評価として「偉大な十九世紀小説」と呼ぶことにしましょう——で、まだ百五十年しか経ていません。これらのすばらしい作家たちは、不滅の象徴、言語の鑑として、今日のフランス語話者、英語話者の読者たちの心に生き続けるに違いありません。しかし、いまから百五十年後に未来の世代が彼らを同様に高く評価するかについては、私はそれほど確信がもてません。

小説の完成と具現化においては、読者の意図が作者の意図と同じぐらい重要になってきます。私はもちろん、作者であると同時に読者です。アイシェとまったく同じように、私は誰も興味をもっていないように思われる小説を読むことを楽しみます——自分がそれを発見したのだという感覚を楽しむのです。そして多くの読者のように、その小説の著者はみじめで誤解されていると想像するのが好きです。そんなとき私は、その無視された小説のもっともなおざりにされている隅っこを自分だけが理解していると感じます。登場人物に同化していることに誇らしさを感じ、同時に著者その人が個人的に小説を私の耳元でささやいてくれているような気分になります。この誇らしさが端的に表れるのは、読者がその作品を自分で書いたかのように感じるときです。プルーストの熱烈なファンであるそんな読者について、私は『黒い本』の「雪の夜の愛の物語」という章に書きました(私は――『無垢の博物館』の主人公ケマルと同じく――誰も行かない博物館に行くのも好きだということを付け加えてもよいでしょう。警備員が居眠りし、寄せ木細工の床がきしむ無人の博物館に、私は「時」と「空間」の詩情を見るのです)。ほかの誰も知らない小説を読んでいると、私たちは作者に恩恵を施している気分になり、それゆえにいっそうその本を読んでいるあいだ努力し想像力を働かせます。

小説を理解するうえでの難しさは、作者の意図と読者の反応を探り出すことではなく、この情報にたいしてバランスのとれた見方をして、テクストが何を述べようとしているのかを判断することです。小説家はつねに読者のしそうな解釈を推測しながらテクストを書き、読者は作者がそんな推測をしつつ書いたことを推測しながら読むということを思い出してください。小説家はまた、読者が小説を読むとき作者になりきること、あるいは作者が不幸でないがしろにされた人物だと想像することを思い描き、それに応じて書きます。もしかしたら私はいま、企業秘密をばらしすぎてしまっていて、小説家組合の会員資格を剥奪されるかもしれません！

読者との、この現実でも架空でもありえるチェスの試合を始めることさえ断固として避ける小説家もいれば、決着がつくまでプレーする小説家もいます。読者の想像のなかに巨大な記念碑を建てようと書く小説家もいます（『ユリシーズ』の書評として書いた初期の文章で、ボルヘスはジョイスの本を大聖堂にたとえました。プルーストは自分の小説の巻を大聖堂の様々な部分にちなんで名づけることを考えました）。他者を理解することを誇りに思う小説家もいれば、他者に理解されないことを誇る小説家もいます。これらの対立する目的は小説の性質に合っています。作家たちは他者を理解し、他者に同化して共感をもとうとする一方で、さりげなく主導権を握って、小説の中心――その深い意味、森を遠くからとらえるひとつの包括的な視点――を巧みに隠すと同時にほのめかそうとします。小説芸術の中心的な矛盾は、小説家が他人の目を通して世界を見ることともしながら、彼自身の個人的な世界観を表現しようと努めるそのやり方にあります。

三、政治性

博物館・美術館について語るときに政治性について語るのはふつうのことになりました。その一方で、小説のなかで政治を話題にすることや、小説について語るときに政治を論じることは、とくに西洋では今日それほど行われていません。『パルムの僧院』において、スタンダールはこの話題をコンサートの最中の銃声――下品だが無視できないもの――にたとえています。おそらくこれは、現在百五十歳を迎えた小説が子ども時代の後半に成熟したのにたいし、博物館・美術館のほうは一人前になるのに苦労したせいでしょう。私は不平を言っているわけではありません。政治は自分と異なる人びとを理解するまいという決意をともなうのにたいし、小説家の技は自分と異なる人びとを理解しようという決意をともなうため、政治小説は限られたジャンルです。しかし、政治性を小説に含めることはいくらでもできます。なぜなら小説家は、自分と異なる人びと、つまり、他の共同体、人種、文化、階級、国家に属する人びとを理解しようとする、まさにその努力において政治的になるからです。最高に政治的な小説とは、政治的なテーマや動機をもつものではなく、すべてのものを見てすべての人を理解すること、最大の全体像を構築することをめざすものです。したがって、この不可能な仕事をやりとげられた小説はもっとも深い中心をもつことになります。

私たちは美術館を訪れ、絵画や美術品を見ます。そして週末にはその展覧会の評を新聞で読み、学芸員の選択の陰にある政治性に思いをめぐらせます。別の絵でなくこの絵が選ばれたのはなぜか？　他の作品はなぜ外されたのか？　博物館・美術館と小説の両方についてまわり、それゆえに両者をつなぐ厄介な問題は、代表することとその政治的影響です。この問題は、比較的貧しく、読者層が薄い非西洋諸国においてより顕著です。

逆の例と個人的な偏見を引き合いに出すことでこの問題を探ってみましょう。他の国の作家とくらべてアメリカ合衆国の小説家たちは、執筆する際、社会的・政治的制約という点にかんしてはほとんど何の苦労もありません。彼らは富と教育をそなえた読者の存在を当然の前提とし、誰を描くのか、何を描くのかについてほとんど葛藤を感じることがなく——しばしばこの状況のけしからぬ副作用として——誰のために、どんな目的で、なぜ書くのかについて不安をおぼえることがありません。この点にかんする私の感情は、ゲーテの直感性(ナイーヴさ)にたいするシラーの嫉妬ほど強くはありませんが、私がアメリカ人の小説家の制約のなさ、書くときの自信と気楽さ——一言でいえば直感性——に嫉妬しているのは確かです。そしてここに私の個人的な偏見があります。私が思うに、この直感性が根ざしているのは、作家と読者が共有する、自分たちは同じ階級と共同体に属しているという意識、それに、西洋の作家は誰かを代表して書くのではなく、たんにおのれの満足のために書くという事実です。

それにたいし、より貧しい、西洋以外の地域(私の出身国トルコを含めて)では、誰を、何を代表するかという問題は、文学と小説家にとって悪夢になりえます。その明らかな理由は、貧しい非西洋諸国の作家たちは上流階級出身であることが多いということです。「小説」として知られる西洋のジャンルを用いていること、自らの文化的所属とは異なる社会層に肩入れしていること、読者層が比較的限られていることは、問題をいっそう難しくする要因です。このため、自分の作品の解釈と受容にかんして、非西洋の小説家たちはすべての小説家に本来そなわるプライドをはるかに超えて非常に感じやすく、様々な反応を示します。小説家として三十五年トルコに暮らしてきたあいだに、私は極端な誇り高さから極端な自己否定まで、その態度のすべてのパターンに遭遇しました。そして私は、こうした反応はトルコに固有のものではないと感じています――その源は、読者層が比較的薄い非西洋諸国の小説家たちが必然的に受ける、精神的な傷にあると思うのです。

こうした反応の最初のものは、読者――見られることがなく、考慮されることのない存在――を極端に見くびる態度と、自分の小説が読まれないという事実への誇りです。こうした小説家たちはモダニズム文学の教義を盾とし、他者に同化することによってではなく、自分自身の世界を描き出すことで成功をおさめます。するとナショナリスト、コミュニタリアン、モラリストらが、これらの小説家が支配的な文化とはそりが合わないことを示して、彼らに身の程を思い知らせます。

二番目のタイプの小説家は、共同体の、あるいは国家の一部になろうと奮闘します。好かれたいという欲求、社会批判を提供するスリル、道を説いている満足感が、この種の小説家たちに書くためのエネルギーと力、描写を生み出す喜び、すべてを観察しようという意志を与えます。所属して代表することに誇りと喜びを感じるこのような作家は、一番目のタイプとくらべて「道沿いに運ばれる鏡」(“un miroir qu'on promène le long d'un chemin”)――スタンダールが小説について用いた比喩――をうまく作り出します。

ここで私は鳥瞰図を示すために単純化しています。現実はもちろん、これよりはるかに細部に富み、複雑です。この問題のもつれて矛盾した性質に光をあてるために私自身の話をしてみましょう。

私は『雪』を書くための準備としてトルコ北東部の都市カルスを何度も訪れました。『雪』は表面的には私の作品のなかでもっとも政治的な小説です。気のいいカルスの人びとは、私が彼らについて書くことがわかっていたので、何を尋ねても快く率直に答えてくれました。私の質問の多くは、貧困、汚職、不正取引、贈収賄、不衛生についてでした――町にはたくさんの社会的・政治的問題があり、怨恨や敵意がしばしば暴力を引き起こしていました。誰もが私に悪者の正体を教えてくれ、やつらのことを書いてくれと言いました。私はマイクを持って何日も通りを歩きまわり、町とその住人の生活についてのひどい話を記録して過ごしました。それから友人たちは私をバス発着所まで送ってくれ、毎回別れ際に同じことを言うのでした。「パムクさん、私たちやカルスについて悪いことは何も書かないでくださいよ、いいですね？」彼らは皮肉のかけらもない笑顔で私を見送ります――そして私は、真実を書かねばという気持ちと、愛されたいという気持ちの板挟みになるすべての小説家のように思い悩みました。

このジレンマから抜け出す方法は、シラーがゲーテに認めた直感性(ナイーヴさ)、そして私が偏見からアメリカ人の小説家の属性とした直感性を養うことだと私は当時感じていました。しかし私が同時に気づいていたのは、困難の海でおぼれ、その海があまりにも広いので、そうした悲惨な体験を自らのアイデンティティーの一部とし、受け入れるようになっている人びとのあいだで暮らしているとき、この直感性を保つのがいかに難しいかということでした。ある時点で私は、自分自身の満足のためだけにカルスについて書くことはできないと悟りました。いま、それから何年もたって思うのは、私が純粋に自分の満足のために博物館を作っているのは、もはや楽しみのためだけに書くことができなくなったせいかもしれない、ということです。

第六講

中心

小説の中心とは、人生についての重大な意見または洞察であり、実在か架空かはともかく、深く埋め込まれた謎の一点です。小説家たちはこの場所を探索するために、その意味を見つけ出すために書き、そして私たちは小説が同様の心構えで読まれることに気づいています。小説を初めて構想するとき、私たちはこの隠れた中心のことを意識的に考え、そのために書いているのだと承知しているかもしれません――しかし、中心にたいして無自覚なこともあるかもしれません。ときには、実生活での冒険や直接の体験から学んだ真実のほうが、この中心よりもずっと重要に思えるかもしれません。またあるときには、個人の衝動を、あるいは他の人生や人びとや集団や共同体を、道徳的かつ審美的に表象したいという欲求がとても重要に思われるがゆえに、この中心のために書いているという事実を無視したくなります。語られるできごとの暴力性、美しさ、目新しさ、意外性のせいで、自分が書いている小説に中心があることを忘れてしまうことさえありえます。小説家は、自分が書いている小説に隠れた中心があることはほとんど考えずに、物語の終わりに到達するために、ひとつの細部、観察、物、イメージから次へと、本能的に、わくわくしながら、容赦なく――そのペースは人によって様々ですが――移っていきます。小説を書くことは、一本一本の木に熱のこもった注意を向け、すべての細部を心にとめて描写しながら森を横切ることに似ています。まるで目的は物語を語ることだけ、森全体を突っ切ることだけであるかのように。

しかし、風景をなす木立や建物や川にどれほど惹きつけられようと、あるいは個々の木や崖の不思議さ、奇妙さ、美しさにどれほど魅了されようと、その風景のなかにはさらに神秘的なもの――そこに含まれる木や物すべてを合わせたよりもずっと大きな意味をもつ何か――が秘められていることも私たちは知っています。ときおり私たちはこのことをはっきり感じるかもしれず、この認識は振り払うことのできない胸騒ぎを伴うこともあります。

同じことが小説の読者にも当てはまります。純文学の小説の読者は、風景のなかのそれぞれの木――人物、物、できごと、逸話、イメージ、回想、情報のかけら、時間の飛躍のひとつひとつ――が、より深い意味、表面下のどこかにある隠れた中心を指し示すためにそこに配置されていることを知っています。小説家がいくつかの冒険や細部を含めたのは、彼自身が実際に体験したからかもしれないし、実生活で目撃して惹きつけられたからかもしれないし、とてもうまく思い描くことができたからかもしれません。しかし、文学の読者は、その美しさや力や真実味ゆえに効果を上げている、これらすべての構成要素は、小説に登場するからには隠れた中心を指し示していなければならないということを知っており、読者は本のなかを進むあいだ、この中心を探します。

作家もまた、小説の中心を、その作品の霊感となる洞察、考え、または知識として認識します。しかし小説家たちは、執筆の過程でこの霊感の方向と形が変わっていくことも知っています。たいていの場合、中心は小説が書かれるにつれて姿を現します。多くの小説家は、初期段階では中心を単なる主題、つまり物語という形で伝えられるべき考えとして認識しており、小説を発展させていくなかで、必然として存在するぼやけた中心のより深い意味が発見され、明らかになっていくのだと知っています。執筆が進むにつれて、一本一本の木だけでなく、交差しあう木々の枝や葉の輪郭も注意深くなぞられていきます。読者の思い描く隠れた中心が読んでいくうちに変化するように、作者の考える中心も変わり始めます。小説を読むということは、表面の細部から喜びを引き出すこともしつつ、真の中心と真の主題を特定する行為なのです。中心――言いかえれば小説の真の主題――を探索することは、表面の細部を楽しむことより重要に思えてくるかもしれません。

たとえばボルヘスは、メルヴィルの『書写人バートルビー』のために書いた序文で、読者が徐々に『白鯨』の核心に近づいていく様子を描写しています。「はじめ、主題は捕鯨人たちのつらい生活だと読者は考えるかもしれない」。確かに、『白鯨』の序盤の章は社会批判の小説や新聞のルポルタージュのようだと言ってもいいくらいで、捕鯨業や銛打ちの生活の細部が書きこまれています。「しかしその後、主題は白鯨を追いつめ殺すことに熱中するエイハブ船長の狂気」であると私たちは考えるようになる、とボルヘスは言います。そして実際、『白鯨』の中盤の章は心理小説のようで、強迫的な激しい怒りに取り憑かれた強靭な男の特異な人物像を分析します。最後にボルヘスは、真の主題と中心はそれとはまったく異なることを強調します。「一ページごとに物語は大きさを増し、ついには宇宙規模に達する」

語られる物語とその中心のあいだにこれほどの距離があるのは、小説の卓越性と深さのしるしです。『白鯨』は私たちがつねに中心の存在を感じ、つねにその所在を問いかけ、つねに答えについて考え直すような傑作です。このことの理由のひとつが、その風景の豊かさと登場人物たちの複雑さだとしたら、もうひとつの理由は、もっとも偉大な小説家たち――最高の修養を積んだ手練れ、もっとも細心な計画者――さえも、執筆の過程を通して、自分の小説の中心について考えの精度を高め続けるという事実です。

小説家は自分自身の生活の細部と自分の想像のなかに豊富な材料を見出します。彼はこの材料を探索し、発展させ、それと深くかかわるために書きます。小説家が小説で伝えたいと願う深遠な人生観——私が中心と呼んでいる洞察——は、細部、全体の形、登場人物から浮かびあがり、そのすべては小説が書かれていくにつれて発展していきます。先に私はE・M・フォースターの考えに異論を唱えました——小説が書かれていくうちに主要人物たちが主導権を握り、その展開を口述するという、広く受け入れられた考え方です。でも仮に、執筆の過程に神秘的な要素があると信じなければならないとしたら、小説の主導権を握るのは中心だと信じるほうがより妥当でしょう。自意識的（センチメンタル）かつ思索的な読者が、中心の正確な位置を当てようとしながら小説を読み進めるのとまさに同じく、熟練の小説家は、書くにつれて中心が浮かびあがってくることを知りながら、そして自分の仕事のもっとも困難でやりがいのある部分はこの中心を見つけ、そこに焦点を合わせることだと意識しながら、書き進めていきます。

小説を構築し、その中心はどこにあるのだろうと自問するなかで、小説家はその作品が自分の意図とは正反対の全体的な意味をもつかもしれないことに気づき始めます。ドストエフスキーから例をあげましょう。一八七〇年七月、『悪霊』の構想と執筆を始めて一年後に、ドストエフスキーは一連の癲癇（てんかん）の発作に襲われました。この発作の結果を、彼は翌月、姪のソフィア・イワノワ宛の手紙に書いています。「仕事に戻ると、何が問題でどこで間違いを犯したのかを突然悟ったよ――そして同時に、自然と霊感が湧いたかのように、新しい構想が完璧な形で浮かんだ。すべてを根本的に変える必要があった。私は一瞬のためらいもなく、それまでに書いたものをすべて消し、また一ページから始めた。丸一年の作業が消し去られた」

ジョーゼフ・フランクはドストエフスキーのすぐれた伝記の第四巻『奇跡の年月』において、ロシア人小説家がいつものように誇張していたことを読者に明かします。この新しい構想のおかげで、ドストエフスキーが自分の小説を一面的で奥行きのない登場人物についての物語から、卓越した政治的な小説に変身させる転換を行えたのは確かですが、実際はそのほんの一部分を修正しただけでした。前年に書いた二百四十ページのうち四十ページ分です。

主題とテクストの大部分を含め、小説の多くの部分がそのまま残りました。変わったのは、そう、小説の中心だったのです。

私が中心と呼んでいて、私たち小説家が本能的に察知するこの場所は非常に重要なので、それを変えたと想像するだけで、自分の小説のすべての文、すべてのページが変わり、まったく異なる意味を帯びたように感じるのです。小説の中心は、源ははっきりしないものの、森全体――木の一本一本、小道ひとつひとつ、すでに後にしたひらけた場所、いまめざしている明るい空き地、とげのある藪、もっとも暗く光を通さない茂み――を照らし出す光のようなものです。中心の存在を感じているあいだだけ、私たちは前進することができます。たとえば、自伝的作品『中心の発見』の序文において、V・S・ナイポールは「中心がなかった」ために自分の「物語は行きづまった」と述べています。暗闇のなかでも、私たちはまもなく光が見えることを願って突き進みます。

小説を読むことと書くことの両方が、人生と想像がもたらすすべての材料――主題、物語、主要人物たち、私たちの個人的な世界の細部――を、この光とこの中心でもって統合することを求めます。その所在が不明なのはけっして悪いことではありません。それどころか、それは私たち読者が要求する条件です。というのは、もし中心があまりにわかりやすく、光が強すぎれば、小説の意味はただちに明かされてしまい、読む行為は繰り返しのように感じられるからです。ジャンル小説――SF、犯罪小説、時代物のファンタジー、恋愛小説――を読んでいるとき、私たちはボルヘスが『白鯨』を読みながら自分に投げかけた問いを問うことはありません。何が真の主題なのか？　中心はどこにあるのか？　ジャンル小説の中心は、私たちが同じタイプの小説を読んでいるときに見つけたのとまったく同じ場所にあります。冒険、背景、主要人物たち、殺人者たちが違うだけです。ジャンル小説では、物語が構造的に含意しなければならない大きなテーマはどの本においても同じです。SFのスタニスワフ・レムとフィリップ・K・ディック、スリラーと殺人ミステリーのパトリシア・ハイスミス、スパイ小説のジョン・ル・カレといった少数の独創的な作家の作品をのぞけば、ジャンル小説はそもそも中心を探そうという気を起こさせません。この種の小説の作家たちが数ページおきに新たなサスペンスとたくらみを物語に登場させるのはこのためです。一方で私たちは、人生の意味について根本的な問いかけをする不断の努力で消耗することがないため、ジャンル小説を読んでいるときは居心地よく安心していられます。

事実、私たちがこういった小説を読む理由は、すべてのものがなじみ深くいつもの場所に収まっている、我が家にいるような安らぎと安心感を得るためです。私たちが純文学の小説、偉大な小説に向かい、人生に意味を与えてくれるかもしれない導きと知恵を探し求める理由は、世界のなかで我が家のようなくつろぎを得られないからです。このように主張することは、シラーにならって心理状態と文学形式のあいだに関係を打ち立てることです。つまり、近代人は世界のなかでくつろげるようになるために小説を読み、小説を必要とする。なぜなら、自分の住んでいる宇宙との関係が損なわれているからだ――そしてこの意味において、直感的（ナイーヴ）な状態から自意識的（センチメンタル）な状態へと移行している。心理的な理由から、若いころの私は形而上学、哲学、宗教にかんする書物と並んで小説を読む必要性を強く感じました。二十代で、生死にかかわる問題であるかのような熱っぽさで中心を探しながら読んだ小説を、私はけっして忘れることはないでしょう。それは私が人生の意味を探し求めていたからというだけでなく、トルストイ、スタンダール、プルースト、マン、ドストエフスキー、ウルフといった巨匠たちの小説から拾い集めた洞察を用いて、自分なりの世界の見方、倫理にたいする感性を作りあげ、磨いていたからでもあります。

小説家のなかには、小説の中心が創作の途中で徐々に浮かびあがってくるという事実に気づいていくるために、あまり設計せずに書き始める者もいます。彼らは中心を発見し完璧なものにする過程で、何が余計で何が足りないか、何が短すぎて何が長すぎるか、どの登場人物が薄っぺらでどの人物が不必要か判断します。そして見直しの際に細部に趣向を凝らします。数千ページを書いても中心が見定められないこともあります。小説の全体像が決められないまま小説家が亡くなり、熱心な編集者や研究者にこの仕事が託されることもあるかもしれません。

その一方で、最初から中心を決めて、まったく譲歩することなく進めようとする小説家もいます。この方法は、注意深く設計することなく、あるいは中心を考慮せずに小説を書くよりもはるかに難しく、とりわけ冒頭部分の執筆に難しさがあります。トルストイは『戦争と平和』の執筆に多大な労力を費やし、修正したり書き直したりを繰り返しました。しかし、この努力の真に興味深いところは、中心が、小説の主要な考えが、彼がこの本を書くのに要した四年間を通じて変わらなかったことです。『戦争と平和』の末尾に、トルストイは歴史における個人の役割を論じた文章を付け足しました——その長さと真剣さから、これこそがこの小説の精神であり、主題であり、目的であり、中心であると、彼が私たちに信じてほしいと思っていることがただちにわかります。しかし今日の読者にとって、『戦争と平和』の中心と主要な考えは、トルストイが小説の最後で論じるテーマ——歴史の意味と歴史における個人の役割——ではなく、登場人物たちが日常生活の細部に向ける、共感のこもった強い関心と、小説のなかの様々な人生の物語を結びつける、澄んだ、すべてを包み込むまなざしです。この本を読み終わったときに頭に残るのは、歴史とその意味ではなく、人間の生命のはかなさ、世界の果てしなさ、それに宇宙における私たちの位置について、自分が考えたことです。そして読んでいるあいだ、私たちは一文ごとに中心が照らし出されてくる過程を体験する喜びを感じています。ですから、小説の中心は、作者の意図と同じくらい、私たちがテクストから引き出す楽しみの内容にもよる、と結論づけることができるかもしれません。

この中心——作者の意図、テクストの含意、読者の好み、小説が読まれる時と場所によって変わるもの——を描写することは、世界の中心や人生の意味を特定しようとする試みと同じくらい不可能に思われるかもしれません。しかしまさにそれが私がこれからしようとしていることです。

純文学の小説の中心を明らかにすることの難しさは、純文学の小説とは、その意味を——まさに人生の意味と同じく——明確に表現したり、何か別のものに還元したりすることが難しいものなのだということを思い出させることでしょう。宗教心のない現代人は、心の奥底では自分の努力の不毛さを認識しているにもかかわらず、自分が読んでいる小説の中心を探り出そうとするかたわら、自分の人生の意味をも考えずにはいられません――というのは、この中心を探し求めることにおいて、彼は自分自身の人生の中心と世界の中心を探し求めているからです。もし私たちが中心の明らかでない純文学の小説を読んでいるとしたら、私たちのおもな動機のひとつは、その中心について反芻し、それが存在についての自分自身の見解にどの程度近いかを判断する必要性なのです。

ときに中心は、壮大な風景全体に、物語の細部の美しさと鮮明さに宿ります。『戦争と平和』はその一例です。またときには、小説のテクニックや形式と密接に関係しており、その例としては『ユリシーズ』があります。『ユリシーズ』において、中心はプロットともテーマとも、主題とさえも関係していません。中心は、人間の思考の働きを詩的に明らかにすること、そしてその過程において、私たちの生の局面のうちそれまで無視されていたものを描写し、そこに光をあてることにあります。しかし、ジョイスほど才能のある作家が、ひとたび特定のテクニックとその効果を用いて小説にこのような本質的な変化を引き起こすと、同じ装置が読者に同じインパクトを与えることは二度とありません。フォークナーはジョイスから多くを学んだ作家のひとりですが、それでも、彼のもっともすぐれた小説『響きと怒り』と『死の床に横たわりて』のもっとも力強い点はもはや、登場人物たちの考えと彼らの頭のなかを驚異的なまでに開示していることではありません。その代わりに私たちが感銘を受けるのは、彼らの内的独白が織りあわされて世界と人生の新鮮な見方を提示する、そのやり方です。フォークナーはコンラッドから、語りの声の操り方と時間をさかのぼったり前に進めたりして物語を語る方法を学びました。ヴァージニア・ウルフの『波』は同じ印象派的な並置のテクニックを用いています。『ダロウェイ夫人』はそれとは対照的に、私たちの小さなふつうの考えが――より劇的な感情、後悔とプライド、私たちを取り巻く物とともに――過ぎ去る一瞬一瞬において織り交ざり、重なりあっていることを明らかにしています。しかし、ひとりの登場人物の限られた視点から小説を構成するという考えを狂信的に追究した最初の作家はヘンリー・ジェイムズでした。ジェイムズがハンフリー・ウォード夫人宛の手紙(一八九九年七月二十五日付)で述べたところによると、物語を語るには「五百万通りのやり方」があり、そのどれもが、作品に「中心」を与えるものであれば正当化されうるのです。

こうした影響の連鎖にかかわることとして、小説の意味の深さは採用する形式やテクニックからも明らかになることに注意を喚起したいと思います――というのは、物語を語ったり小説を構築したりするための新しい手法はどれも、人生を新しい窓を通して見ることを意味するからです。

小説家としての人生を歩みながら、私は他の作家たちの小説を――希望をもって、熱心に、ときには絶望しながら——読んできました。新たな視点を探し求め、ひょっとしたらこうした小説がそれを見つける助けになるだろうかと思っていたのです。私が世界を見晴らすのに使いたいと思った完璧な窓、そして頭のなかに思い描いた完璧な窓にはどれも、小さな創作された個人的な歴史が付随していました。

以下にあげる個人的な歴史の例で、私が中心と呼んでいるものがわかりやすくなると思います。私はついさっきフォークナーの名前を出しました(ジョン・アップダイクは、第三世界の作家がなぜそろってあんなにもフォークナーの影響を受けるのかわからないとどこかに書いていました)。フォークナーの小説『野生の棕櫚』は、実は一対の物語で構成されており、作家がインタビューで語ったところによると、もとはそれぞれ別個の独立した作品でした。二つを組み合わせる際、フォークナーは物語同士を緊密に織りあわせることはせず、ちょうど二組のトランプを切るように、二つの物語の章をたんに重ねて層にしました。この本で私たちはまず、ヘンリーとシャーロットという名の恋人たちにまつわる困難に満ちたラブストーリーの一部を読みます。それから「オールド・マン」というタイトルの別の物語の第一章を読みます。ミシシッピで洪水と闘う囚人についての物語です。『野生の棕櫚』において二つの物語が交わることはありません。実際、「オールド・マン」を独立した小説として出版している出版社もあります。しかし、二つの物語は『野生の棕櫚』という小説の一部なので、私たちは二つを比較しながら、共通点を見つけようとしながら、そう、二つが共有する中心を探し求めながら読むのです。どちらか一方の話――たとえば「オールド・マン」――を単体として考えてみると、独立した本として読むときと、小説『野生の棕櫚』の一部として読むときでは、私たちがそこに見出す意味は異なります。この事実は、小説がその中心によって規定されるということを私たちに指し示します。『アラビアン・ナイト』(『千一夜物語』)と『失われた時を求めて』の違いは、後者には私たちがしっかり意識している中心があって、その様々な部分――『アラビアン・ナイト』のなかの物語と同じく、個別の小説として出版されることがあるもの(たとえば『スワンの恋』)――を、つねにこの中心を探しながら読むということです。

小説のジャンルとしての進化を分析する際、文学批評家や歴史家たちは、彼らが著したフィクションと虚構性の研究や、感嘆をこめてつづった時間と表象の概念の歴史において、中心にはほとんど注意を払ってきませんでした。この理由のひとつは、十九世紀小説における中心は、小説を支え、その各部分を綴じあわせる力として、はっきりと姿を見せてはいないということです。そのため、物語の筋が集まる実在の、あるいは想像上の焦点はあまり必要ないように見えるのです。十九世紀小説において統合の働きをもつのは、ときには大規模な疫病(たとえばアレッサンドロ・マンゾーニの『いいなずけ』)であり、ときには戦争(たとえばトルストイの『戦争と平和』)であり、またときには名前がその本のタイトルになっている登場人物です。多くの場合、宿命的な一致（たとえばウージェーヌ・シューの作品）や、街路での偶然の出会い（たとえばヴィクトル・ユゴーの『レ・ミゼラブル』）が、登場人物たちを翻弄して出会わせ、小説の風景の各部分をつなぐ役目を果たします。私が小説の「風景」と呼んでいる要素がはっきり認識されてからも、フォークナーのような小説家たちが二十世紀に分散化、断片化、切り貼りといった物語のテクニックを発展させた後でさえ、文学批評が中心という概念を進んで探索しようとしなかったのは驚きです。この慎重さのもうひとつの理由は、脱構築理論が文学テクストにおける過度に単純な二項対立——内部／外部、外見／本質、物質／精神、善／悪——を軽蔑するせいかもしれません。

『野生の棕櫚』はボルヘスによってスペイン語に翻訳されたのち、まるまる一世代のラテンアメリカの作家たちに影響を与えました。見事な、半ばダダイスト的な小説が次々に『野生の棕櫚』に続き、読むことの快楽を中心の探求に変えました。私的なリストは次のようになります。ウラジーミル・ナボコフの『青白い炎』（一九六二年）、フリオ・コルタサルの『石蹴り遊び』（一九六三年）、ギジェルモ・カブレラ・インファンテの『TTT——トラのトリオのトラウマトロジー』（一九六七年）、V・S・ナイポールの『自由の国で』（一九七一年）、イタロ・カルヴィーノの『見えない都市』（一九七二年）と『冬の夜ひとりの旅人が』（一九七九年）、マリオ・バルガス＝リョサの『フリアとシナリオライター』（一九七七年）、ジョルジュ・ペレックの『人生使用法』(一九七八年)、ミラン・クンデラの『存在の耐えられない軽さ』(一九八四年)、ジュリアン・バーンズの『10½章で書かれた世界の歴史』(一九八九年)。これらの小説はすべて大いなる関心をもって迎えられるや、多くの言語に翻訳されましたが、世界中の読者と私のような駆け出しの小説家に、ラブレーとスターン以来知られていたこと——つまり、小説には何でも、そしてすべてを入れることができる——を思い出させました。リストや目録、メロドラマ調のラジオドラマ、奇妙な詩や詩への注釈、様々な小説の部分をごちゃまぜにしたもの、歴史と科学についての論考、哲学的なテクスト、百科事典的豆知識、歴史物語、余談や逸話、その他思いつくものは何でも。いまや、人びとが小説を読むおもな理由は、世界の現実に不満を抱く登場人物たちを理解するためでも、プロットが人物たちの習慣や個性に光をあてるのを見るためでもなく、直接人生の構造について考えるためでした。

ミハイル・バフチンによるポリフォニー小説の研究およびラブレーとスターンの再評価は、十八世紀小説とディドロの作品の再発見とともに、十九世紀小説の風景におけるこの大きな変化の正当性を示しました。これらの小説を読むたび、私はボルヘスが『白鯨』を読みながらしたように中心を探しました。そして私は、主題と思われたものから『トリストラム・シャンディ』風に脱線し迂回することが、実は作品の真の主題なのだと理解しました。

私の小説『黒い本』のなかで、ある登場人物が新聞のコラムニストの仕事を説明していますが、その描写は小説を組み立てるプロセスにも同様に当てはまります。すなわち、私にとって小説を書くことは、重要なことについては関連性が低いかのように、そして重要でないことについては関連性が高いかのように語る技です。この原則に完全に忠実に書かれた小説を読む人は誰でも、何が重要で何がそうでないかを理解するために、すべての文、すべての段落において中心を探し、想像する必要があるでしょう。もし私たちがシラーが言うように(直感的(ナイーヴ)というより)自意識的(センチメンタル)な小説家であるなら――言いかえれば、自分の語りの技法をはっきりと自覚しているなら――読者がテクストの形式を考慮に入れて自分の小説の中心を想像しようとするだろうと承知しています。創造者、そして芸術家としての小説家の最高の偉業は、小説の形式を謎――解くことで小説の中心を明らかにできるパズル――として構築できる能力だと私は信じています。おそらく、もっとも直感的な読者でさえ、そのような小説を読んでいるときには、その意味、その中心へと導く鍵がこの謎を解くことにあると気づくことでしょう。純文学の小説においては、謎の主眼は殺人犯を当てることではなく、ボルヘスが『白鯨』を読んでいたときにしたように、小説の真の主題は何なのか解き明かすことにあるのです。小説の複雑さと精妙さがこのレベルに達すると、物語の主題ではなくその形式が最大の関心事になります。

カルヴィーノは一九七〇年代――私が先に言及した二つの小説を著した時期――に論議を呼ぶ評論を書き、そのなかでこの状況がもたらす事態を予見しました。「スペクタクルとしての小説」と題されたこの文章は、当時、小説芸術に起こりつつあった変化を描いています。「小説、あるいは実験的な文学において小説に取って代わったものの第一の規則は、そのページの外にある物語(あるいは世界)に頼ってはならないというものである。読者は執筆のプロセスのみ、書かれるという行為の最中にあるテクストのみを追うことを求められる」。この意味するところは、読者は小説の形式を全体像とみなすということです。この全体像は、読者が風景に浸っているあいだは一本一本の木のせいでぼやけたままです。そして読者はそれに応じた場所で中心を探すことになります。

直感的(ナイーヴ)な思考回路から完全に距離を置き、シラーの言う意味で「自意識的(センチメンタル)」になる小説家の最良の例は、自身の小説を読者の視点に立って読もうと努める小説家です。このアプローチは、ホラティウスが述べたように、自分が描いた風景画を繰り返し見つめる行為に似ています——新たな観点を得ようと少し後ろに下がり、近づき、また後ろに下がる。しかしその際、絵を見ている人物は自分とは別人だというふりをしなければなりません。すると、中心と呼んでいるものが実は自分自身が作りあげたものであることを思い出します。小説を書くことは、人生や世界に見出せない中心を作り出し、風景のなかに隠すことです——観客と架空のチェスの試合を戦わせながら。

小説を読むことはこれと同じ行為を逆向きで行うことです。書き手と読み手のあいだに置かれた唯一のものは小説のテクストで、娯楽を提供するチェス盤のようなものとしてそこに存在します。どの読者もその人なりのやり方でテクストを視覚化し、どこでも自分の好きな場所で中心を探します。

それでいて、私たちはこれがでたらめなゲームではないことを知っています。私たちが両親に教わったマナー、公立または私立の学校で受けた教育、宗教や神話やしきたりの教え、私たちが感嘆する絵画、読んできた小説のよいものも悪いものも、「迷路のまんなかにあるウサギ穴をめざそう」と誘う、子ども向け雑誌のパズルさえ——すべては中心が存在することを私たちに教え、どこをどうやって探せばよさそうか示唆してきました。小説を書き、読む行為は、この教育と調和するように、また同時にそれにたいする反発として行われます。

単一の中心は存在しないという事実が私の目に明らかになったのは、純文学の小説を読んで、互いに衝突しあう登場人物たちの目を通して世界を見たときです。精神と物質、人物と風景、論理と想像がはっきり区別されているデカルト的世界は小説の世界にはなりえません。なりえるのは、すべてを管理することを望むひとつの力、ひとつの権威の世界だけです——それはたとえば、近代的国民国家の一極集中の世界です。小説を読むという作業は、風景全体に総合的な判断を下すことよりも、風景の人目につかないすみずみ、人物ひとりひとり、すべての色と陰影を体験する喜びです。小説を読むとき、私たちが最大のエネルギーを注ぐのは、テクスト全体を判定することやそれを論理的に理解することではなく、それを想像のなかで細部までくっきりしたイメージに変換すること、そしてこのイメージのギャラリーに陣取って、そのすべての刺激に五官を開くことです。このように、中心を見つけられるという希望は、私たちの気持ちと感覚の受容性を高め、希望をもって楽観的に想像力を使うことを促し、すみやかに小説のなかに入って物語の内部に身を置くよう、背中を押します。

私は軽い気持ちで希望と楽観主義を持ち出したわけではありません。小説を読むという行為は、世界には実際に中心があると信じる努力であり、これにはありったけの自信が必要です。偉大な純文学の小説——たとえば『アンナ・カレーニナ』『失われた時を求めて』『魔の山』『波』——は、世界に中心と意味があるという希望と鮮やかな幻想を生み出すがゆえに、そしてページをめくるあいだ、この印象を持続させることで喜びを与えてくれるがゆえに、不可欠な存在です（『魔の山』が明かす、人生についてのこの知識は、長い目で見れば探偵小説の盗まれたダイヤモンドよりもずっと魅力的なご褒美です）。こうした小説は読み終えると再読したくなります——それは中心を見つけたからではなく、この楽観的な気持ちを再び味わいたいからです。全登場人物とその視点に次から次へと同化し認めようとする努力、言葉をイメージに変換する際に使うエネルギー、偉大な小説を読んでいるあいだ、頭のなかですばやく丁寧にこなしている数限りないその他の作業——これらすべてによって、小説には複数の中心があるという感覚が湧いてきます。私たちはこのことを、熟考や難解な概念を通してではなく、読むという体験を通して学びます。私たちは宗教心のない現代人にとって、より深くより大きな意味を世界に見出すひとつの方法は、偉大な純文学小説を読むことです。こうした小説を読むと、私たちは世界だけでなく自分自身の頭にも複数の中心があることを理解します。

このような言い方で私が指しているのは、小説を読んでいるときに私たちが行う様々な作業のことです。つまり、それぞれ異なる態度、道徳律をもつ登場人物たちを理解しようとする努力、矛盾する見解を同時に信じる能力、動揺することなく、まるでそれが自分の見方であるかのようにそうした異なる見解に同化する切り替えです。中心がはっきりしない純文学小説を読み、中心を探しているあいだ、私たちは自分の頭が多くのことを同時に信じる能力をそなえていることを感じとります——そして私たちの頭にも世界にも、実はひとつの中心があるわけではないことにも気づきます。ここでのジレンマは、私たちが理解するためにひとつの中心を必要としていることと、この中心の力とその支配的な論理に抵抗したい衝動を感じていることです。私たちは自身の経験から、世界を理解したいという欲求には政治的な側面があることを知っています。そして中心に抗いたいという本能にも同じことが言えます。このようなジレンマへの真の応答が見出せるのは、明快さとあいまいさ、統制と解釈の自由、構成と断片化のあいだで独自のバランスをみせる純文学の小説を通してのみです。『オリエント急行の殺人』（中心があまりにも明らか）や『フィネガンズ・ウェイク』（私のような読者にとっては中心や理解可能な意味と言えるものを見つけられる望みがほとんどない）はこのタイプの小説ではありません。小説が語りかける相手、いつどのように語るか、扱う主題——これらはすべて、時の経過とともに変わります。小説の中心も同様です。

　先程、ドストエフスキーが『悪霊』の執筆中、新しい中心が物語のなかから現れたときに感じた興奮について話しました。すべての小説家がこの感覚を知っています。書いている過程で突然、その本が到達する深さと意味について、完成したときの含意について、新しい考えが浮かぶのです。すると私たちは、この新しい中心に照らして、すでに書いた部分を振り返り、考え直します。私にとって、書く作業には、新しい文章、場面、細部を足したり、新しい人物たちを見つけたり、彼らに同化したり、声の足し引きをしたり、状況や会話を捨てて新しいものを作ったり、書き始めたときには思いつかなかったたくさんのものを加えたりすることで、中心の位置を少しずつ調整することが含まれます。どこかで読んだことですが、トルストイが誰かと話していて、とても単純な職業上の秘訣を示したことがあったそうです。「小説の主人公があまりに悪人なら少し善を足さねばならないし、あまりに善人なら少し悪を足さねばならない」。私も同様の直感的（ナイーヴ）な言い方で似たようなコメントをしたいと思います。もし中心があまりに明らかだと思ったら私はそれを隠し、もしあまりにわかりにくければ少し見せなければならないと感じる。

結局、小説の中心の力はその正体にあるのではなく、読者としての私たちがそれを探し求めることにあるのです。バランスと細部が見事な小説を読んでいるとき、私たちが確たる中心と言えるようなものを発見することはありません——それでいて、私たちはそれを見つける望みを完全に捨てることはありません。小説の中心と意味の両方が読者によって変わります。中心——ボルヘスが主題と呼んだもの——の性質について議論しているとき、私たちは人生観について議論しているのです。これらが私たちに小説を読ませ続ける拮抗点で、私たちの好奇心はこれらの問いによって保たれます。小説の風景のなかを動くうちに、そして他の純文学小説を読むなかで、私たちは矛盾する複数の声や考えや精神状態の存在を信じ、それらに同化することで、中心をまざまざと感じるようになります。こうした努力のおかげで、読者は登場人物たちや書き手について軽はずみな道徳的判断を下さずにいられます。

道徳的判断を停止すると、私たちは小説をより深く理解することができます。この言いまわしで私は、「進んで不信を停止すること」についてのコールリッジの有名な発言を呼び起こそうとしています。コールリッジがこの表現をひねり出したのは、空想的な文学がどのようなしくみで成り立っているかを説明するためでした。彼が一八一七年に『文学的自叙伝』を出版してから経過した二世紀のあいだに、小説芸術は私が中心と呼んでいるものを確立し強固にするかたわら、詩と他の文学ジャンルを主流から追いやって、世界の支配的な文学形式となりました。小説家たちは、二世紀にわたって、あの奇妙で深遠なるもの、中心を、人生の平凡で日常的な細部に探し求め、細部を再編成することでこれを成し遂げました。

『文学的自叙伝』の同じ一節において、コールリッジは友人のワーズワースが詩において、また別の効果をあげようと奮闘したことを持ち出します。コールリッジによると、ワーズワースの目的は次のようなものです。「しきたりの倦怠から頭を目覚めさせ、その注意力を私たちの目の前の世界の美しさと不思議さに向けることで、日常のものに目新しさの魅力を与え、超自然に似た感情を引き起こすこと」。小説家としての三十五年のあいだ、私はずっと、これこそトルストイ、ドストエフスキー、プルースト、マン――私に小説芸術を教えた偉大な芸術家たち――がしたことだと、考えてきました。

私が思うに、サンクトペテルブルグ行きの列車に乗るアンナが小説を手にして、彼女の気分を反映した風景の見える窓際にすわるようトルストイを仕向けたのは、偶然などではなく、小説芸術の土台をなすジレンマの発動だったのです。アンナがページから目を離せないとしたら――それほどまでに物語が彼女の想像力をとらえるとしたら――手にしている小説はどんなものでなければならないのか？　私たちには知る由もありません。しかし、トルストイが居住し、知り、探索した風景に私たちが入りこむためには――そして彼が私たちを彼女と一緒に入らせるには――アンナは本ではなく、列車の窓の外を見なければなりませんでした。アンナのまなざしによって私たちの目の前で風景全体が生き生きと立ちあがります。私たちはアンナに感謝しなければなりません。というのは私たちはこのまなざし――彼女のまなざし――を通して小説のなかに入り、気づけば一八七〇年代のロシアにいるからです。アンナ・カレーニナが手にしていた小説を読めなかったがゆえに、私たちは小説『アンナ・カレーニナ』を読むのです。

結び

二〇〇八年の秋、ホミ・バーバがケンブリッジから電話をくれて、ハーバード大学のノートン・レクチャーズを担当しないかと訊いてくれました。十日後、私たちはニューヨークで会って昼食をとりながら細かい打ち合わせをしました。章立てはまだでしたが、この本の大まかなアイディアがすでに私の頭のなかで形をとっていました。自分の気持ちと動機、本のなかで成し遂げたいことはわかっていました。

私の気持ちと動機は次のようなものでした。ニューヨークでの打ち合わせの少し前に、私は『無垢の博物館』を書きあげていました。構想に十年、執筆に四年をかけた小説です。すでにイスタンブールで出版され、大きな政治不安を経た時期に、この本がトルコの読者たちに非常に好意的に迎えられたことを私はうれしく思っていました。『無垢の博物館』は、私の最初の小説『ジェヴデット氏と息子たち』の架空の個人的な世界への回帰のように思われました。第一作と、設定とプロットが似ているだけでなく、形式――伝統的な十九世紀小説の形式――も似ていました。小説家としての私の三十五年間の旅が、数々の冒険と一連の魅惑的な中継地を経て、巨大な円を描き、私をもとの出発点に導いたかのように感じました。

しかし、私たちがみな知っているように、帰り着いた場所が出発した場所と同じであることはけっしてありません。この意味において、私の小説執筆活動は円ではなく螺旋の最初の輪をたどったと言えます。私の頭のなかにはそれまで歩んできた文学の旅のイメージがあり、それについて話す用意ができていました。長い航海から帰って、喜び勇んで次の航海の準備をしている人のように。

本書の目的は次のようなものでした。私は自分の小説の旅、道中立ち寄った場所、小説という芸術と形式が教えてくれたこと、それらによって課せられた制約、それらとの格闘やそれらへの愛着について話したいと思いました。同時に、自分の講義を、追憶に浸るものや自分の個人的な発展を論じるものというより、小説芸術についての試論や考察にしたいとも思いました。本書は、私が小説について知っていること、学んだことのうち、もっとも重要なものをすべて含んだ総合体です。本のサイズから明らかなように、これはもちろん小説の歴史ではありません――もっとも、小説芸術を理解しようとする努力のなかで、時折このジャンルの進化の過程に言及していますが。でも、私のおもな目的は、小説が読者に及ぼす効果、小説家の仕事の流儀、小説の書かれ方を探ることでした。私の、小説の読み手としての経験と、書き手としての経験は絡みあっています。小説を研究する最良の方法は、偉大な小説を読んでそれに近いものを書きたいという抱負をもつことです。ときどき、私はニーチェの次の言葉に真実味を感じます。芸術について語る前に、芸術作品を生み出そうと試みなければならない。

知り合いのほかの小説家とくらべて、私は理論に関心があり、小説理論について読むことを楽しむ人間だと思います——この関心は、五十歳を過ぎてからコロンビア大学で教え始めたときに役立ちました。しかしながら、本書が書かれたのは、この主題についての私の見解を表明するためであって、概念についての論点を探ったり、他の理論とやりあったりするためではありません。

私の世界観は、現在私がもっている小説の理解と切っても切れない関係にあります。二十二歳のとき、私が家族や友人や知人たちに「ぼくは画家にはならない——小説家になる！」と宣言して、本気で最初の小説を書き始めたとき、誰もが、おそらく私を暗い未来（読者の少ない国で小説を書くことに一生を捧げる未来）から守ろうと、次のように諫めました。「オルハン、二十二歳で人生が理解できている人間なんていないよ！　もっと年を重ねて、人生とか人間とか世界について知るまで待つんだ——そうしたら君の小説が書けるよ」（彼らは私が一作だけ書きたいのだと思ったのです）。私はこの言葉に憤慨し、みなにこう言ってやりたいと思いました。ぼくたちが小説を書くのは人生や人びとを理解していると感じるからじゃなく、他の小説や小説芸術を理解していると感じて、同じように書きたいと思うからなんだ。

三十五年たったいま、私は善意の知人たちの見解に当時より共感できます。この十年のあいだ、人生、世界、自分が出会ったもの、自分が住んでいる場所にたいする自分の見方を伝えるために、私は小説を書いてきました。本書でも私は自分の体験を優先しましたが、多くの箇所で、よく知られたテクストや他の人の洞察を介して自分の視点を描写しました。

本書で示した見解は、私の考えがいま達している段階に限られたものではありません。この連続講義では、『無垢の博物館』を書いているあいだに小説芸術について考えたことだけでなく、それ以前に書いたすべての小説から得た経験と知識についても話しています。

一九七四年に書き始めた『ジェヴデット氏と息子たち』は、『ブッデンブローク家の人びと』や『アンナ・カレーニナ』のような十九世紀リアリズム小説のひな型を保守的に踏襲していました。その後、確かな興奮を感じながら、私はモダニストになり実験的になることを自らに課しました。第二作の『静かな家』には、フォークナーからウルフまで、フランスの新しい小説（ヌーヴォー・ロマン）からラテンアメリカ小説に至るまで、幅広い影響が見られます(他の作家から影響を受けることを否定するナボコフとは違い、こうした影響についてある程度誇張して語ることには解放感があるというのが私の意見で、今回の文脈のように有益な情報提供になるとも考えています)。古い表現を使えば、私はボルヘスやカルヴィーノといった作家にたいして自分を開け放つことで「自分の声を見つけた」のです。その最初の例が、私の歴史小説『白い城』です。あなたがいま読んでいる本では、私はこうした作家たちについて、自分の経験に照らして語っています。『黒い本』は第一作と同じく自伝的ですが、同時に大きな違いがあって、その理由は、これが私が初めて自分の真の内なる声を見つけた小説だからです。私が本書で展開しているプロット論を形成し始めたのは『黒い本』の執筆中だったに違いありません。同様に、私は語りの視覚的側面についての持論を『わたしの名は赤』の執筆中に発展させました。自分のすべての小説において、私は読者の視覚的想像力を作動させようと試み、小説芸術は――ドストエフスキーの鮮烈な反例にもかかわらず――視覚的なものを通して作用するという信念を一貫して持ち続けています。『雪』は小説と政治の同時性について考える契機となり、一方で『無垢の博物館』は、社会的現実の表象についての私の考えを発展させました。小説家たちが新しい本に取りかかるときには、それ以前の全作品の経験の蓄積をよりどころとし、以前の作品すべてから得た知識が私たちを助け、支えます。しかし私たちは完全に孤独でもあり、それはいちばん最初の小説の冒頭の一文を書いたときとまったく同じです。

二〇〇八年十月、ニューヨークでホミ・バーバに会いに行く道すがら、私はこの連続講義のモデルとなりうる二冊の本のことを考えていました。一冊目はE・M・フォースターの『小説の諸相』で、この本についてはもう時代遅れだという確信がありました。すでに大学の英文学科のシラバスからはずされ、書くことが精神的・哲学的行為ではなく技能として扱われる創作プログラムに追いやられていたのです。しかし再読後、この本の評判は回復されるべきだと私は感じました。私の頭にあったもう一冊は『小説の理論』で、ハンガリーの批評家であり哲学者であるジェルジ・ルカーチがマルクス主義者になる前の時期に書いたものです。彼の本は詳細な小説論というより、人類が小説といった鏡(注文してあつらえた鏡!)を精神的に必要とする理由を解き明かそうとする、哲学的で人類学的で驚くほど詩的な評論です。私はつねづね、小説芸術について語りつつ、人類全体、とりわけ近代的な個人について深く論じる本を書きたいと思っていたのです。

自分について語りつつ人類全体について論じることができると気づいた最初の偉大な作家は、もちろんモンテーニュです。彼の方法のおかげで――そして、二十世紀初頭に編み出された視点のテクニック以来、近代小説において発展した多くの方法のおかげで――私たち小説家は、自分のおもな務めが登場人物たちに同化することだとついに悟ったのだと私は考えています。本書では、私はモンテーニュ的な楽観主義から力を得ています。それは、私が自らの小説執筆体験と、自分が小説を書くとき読むときにしていることを率直に論じれば、すべての小説家および小説芸術全般について論じていることになるという信念に基づく楽観主義です。

しかし、自分と似ていない登場人物たちに同化する能力に限りがあり、私たちの自伝的人物が人類全体を代表できる範囲に限りがあるように、私のエッセイスト――ノンフィクションの書き手――としての楽観主義には限りがあることを、私は自覚しています。フォースターとルカーチが小説芸術を論じたとき、彼らは自分たちの見方が二十世紀初頭のヨーロッパ中心主義的なものであるという事実を強調しませんでした。百年前、小説芸術は周知の通り、もっぱらヨーロッパあるいは西洋の芸術だったからです。今日では小説というジャンルは世界中で使われています。その目覚ましい広がり方はつねに議論の的です。過去百五十年間にわたって、小説が現れた国ではことごとく伝統的な文学形式を周縁に追いやって支配的な形式となり、そのプロセスは国民国家の樹立と並行していました。いまや、世界のどこでも、文学を通して自己表現をしたい者の大多数は小説を書きます。二年前、上海で私の本を出している出版社から、毎年若い作家たちが何万もの原稿を送ってくるという話を聞きました――多すぎてすべて読むのは不可能だということでした。世界中で同じことが起こっていると思われます。西洋でもそれ以外でも、文学を介したコミュニケーションはもっぱら小説によって行われています。おそらくこのために、現代の小説家たちは、自分の物語や登場人物が人類全体を代表する能力には限りがあると感じとるのでしょう。

同様に、私は自分の小説家としての経験でもってすべての小説家を代弁できる範囲は限られていることを自覚しています。読者には、この本がどんな視点から書かれたのか、おぼえておいてもらえるといいなと思います。それは、一九七〇年代のトルコで、小説を書いたり本を読んだりする伝統があまりない文化のなかで成人を迎え、父親の書斎の蔵書や、ほかに見つけられたものを手あたり次第に読んで小説家になろうと決意し、基本的に暗闇を手さぐりしながら、独学で作家になった人間の視点です。それでも私は、私たちが言葉を想像のなかで視覚化し変換するやり方についての自分の所見は、私の絵画への愛から発しただけのものではないとも信じています。小説芸術の基本的特徴に光をあてる所見であると考えているのです。

二十代のころ、この本の土台をなしているシラーの論文を初めて読んだとき、私は直感（ナイーヴ）の作家になりたいと思いました。当時、一九七〇年代には、トルコでもっとも人気と影響力のある小説家たちは、田舎や小さな村を舞台にした、半ば政治的、半ば詩的な小説を書いていました。当時は、都市を、イスタンブールを舞台とする物語を書く、直感の小説家になるのは難しい目標に思われました。ハーバードでこの連続講義をして以来、「パムクさん、あなたは直感（ナイーヴ）の小説家ですか、自意識（センチメンタル）の小説家ですか？」と繰り返し訊かれます。私にとって、理想的な状態は、小説家が同時に直感的でもあり自意識的でもある状態だということを強調しておきたいと思います。

二〇〇八年の年末、私はコロンビア大学のバトラー図書館で、フィクションの登場人物とプロットの理論について多くの文献を読みました。それから、他の本や資料で読んだことの記憶に基づいてこの連続講義の主要部分を書きました。二〇〇九年、世界的な経済危機の結果としてラジャスタン内のフライトがキャンセルされたのち、私はキラン・デサイと車を雇って旅をし、ジャイサルメールとジョードプルのあいだの金色の砂漠を横断しました。道中、砂漠の灼熱のなかでシラーの論文を再読し、本書を書いている幻想——蜃気楼に近いもの——に満たされました。私はこの連続講義を、ゴアで、イスタンブールで、ヴェネツィアで(ヴェネツィア大学で教えていたあいだ)、ギリシャで(スペツェス島の対岸に借りた家で)、ニューヨークで書きました。完成形になったのは、ハーバード大学のワイドナー図書館と、ケンブリッジにある本でいっぱいのスティーヴン・グリーンブラット邸でした。小説にくらべると、この本はすんなり形になりました——たぶん、会話のような語り口で通すことにしたおかげでしょう。私はよく、空港やホテルやカフェ(もっとも思い出深いのはフローベールゆかりのルーアンにあるメトロポール、一九三〇年代にサルトルとボーヴォワールが会っていたカフェ)でノートを取り出し、主題に没頭して、苦もなく楽しく、一時間で二、三段落を書き進めました。唯一の難しさは、ひとつの講義を約五十分におさめなければならないという要件でした。小説を書いているときは、テクストを豊かにする考えや細部が浮かべばいつでも章をのばすことができます。でも時間の制約のせいで、私は自分にたいしてもっとも無慈悲な批評家兼編集者にならざるをえませんでした。

友人であり翻訳者であるナーズム・ディクバシュ、この英語訳をその次に読んで貴重な助言をくれたキラン・デサイ、世界中のすべての本を読んでいて無数の提案で論旨を補強してくれたデイヴィッド・ダムロッシュ、ケンブリッジで私を温かく迎え、くつろがせてくれたホミ・バーバに、感謝の意を表します。

訳者あとがき

本書は、二〇〇六年にノーベル文学賞を受賞したトルコの作家オルハン・パムクが、二〇〇九年にハーバード大学で行ったチャールズ・エリオット・ノートン・レクチャーズ、*The Naive and the Sentimental Novelist* の翻訳です。通称ノートン・レクチャーズは、毎年、講師一名が教授として招かれ、詩についての連続講義を行うものです。「詩」を広い意味でとらえ、言語、音楽、美術における詩的な表現を対象としているため、一九二六年の開始以来、講師にはT・S・エリオット、ホルヘ・ルイス・ボルヘス、ウンベルト・エーコら詩人や文学者だけでなく、ベン・シャーン、イーゴリ・ストラヴィンスキー、レナード・バーンスタイン、ジョン・ケージら画家や音楽家も名を連ねてきました。パムクは、「詩」を芸術と文学全般をさすものと解釈したうえで小説に焦点をしぼり、自身の体験に基づく小説論を展開しています。若いころから小説の熱心な読者であり、二十二歳で小説家になることを決意して以来、小説を書き続けてきたパムクが、読者と作者、両方の立場から小説に迫ることで得た知見をまとめあげたのが本書であると言えます。講義中にはエリオット、ボルヘス、エーコの名もあがっており、エーコのノートン・レクチャーズ『小説の森散策』(和田忠彦訳、岩波文庫)にテクストが登場するネルヴァルの言葉が冒頭に引かれていること、小説を森にたとえていることなどから、エーコとのつながりに注目して読むのも一興です。

しかし、小説論の講義といっても、難しい話だろうかとか、知識がないとついていけないのではなどと身構える必要はありません。本書の魅力は、小説を読み慣れない読者も、小説に慣れ親しんだ読者も、それぞれの楽しみ方ができ、それぞれに得るものがあることです。小説初心者は、小説マニアのパムクさんの話を聴くつもりで、作家名、作品名、専門用語など、初めて出会う情報もその都度受けとめながら読めばいいのです。小説の楽しみ方がいまいちわからないという読者は、どこに注目すればよいか、頭のどの部分を働かせればよいか、どんな見方をすればより面白くなるかを教えてもらえますし、名作と呼ばれる長編小説を近寄りがたい絶壁のように感じていた人には、パムクが個々の作品について語る言葉が手がかり、足がかりとなり、登り方のヒントを得られるかもしれません。

一方で、小説については一家言あるという読者は、作家の頭のなかはどうなっているのだろうという好奇心を満たすことができ、ことにパムク作品のファンには、作品と照らし合わせながら読む、とっておきの楽しみがあります。それに加えて、小説好きな友人と話しているような感覚で、パムクの、小説についての見解や個々の作家・作品にたいする評価を、自分の見方や評価とくらべる面白さもあります。また、これまでトルコ文学に接する機会がなかったとしても、トルコにおける小説の発展について書かれた箇所からは、トルコと日本がともに非西洋国であることが想起され、もともと西洋の芸術である小説の受容のしかたに共通点が見えて、日本の小説にも新たな光が投げかけられるかもしれません。

　このような多面性の源は、パムクの小説観にあります。小説家としても読者としても、彼が重視しているのは、講義のタイトルに掲げた二つの対照的な姿勢を両立させることであり、矛盾するものを包摂する能力を小説の重要な特性としています。小説にたいするこの二つの態度、直感的（ナイーヴ）な姿勢と自意識的（センチメンタル）な姿勢を認識すると、読者は自分のふだんの読み方を相対化することができ、別の読み方を試すという選択肢を得ます。筋を追うことだけに集中してひたすらゴールをめざしていた読者は、テクストを風景としてとらえ、その細部にも注目して味わうことで、読むという体験を新たに発見するかもしれません。他方で、小説の裏の裏まで読むことが習慣となっている読者は、直感的な視点を思い出すことで、テクストのなかに違う景色が見えるかもしれません。

　そして、パムクにとって、小説とは人生と密接にかかわるもの、複雑で一筋縄ではいかない現代を生きる助けとなるものです。パムクが本書で描き出す「小説」は、断片化する世界にまとまりのある像を結ばせることができ、人生には意味があるという感覚を与えてくれます。それと同時に、物事の見方は無数にあり、ひとつの見方に固まる必要はないのだということを実感させてくれるものです。私たちには複数の見方を受け入れる能力もあれば自由もある、ということを思い出させてくれるのが小説なのです。このような小説にたいし、逆の方向性をもつものとして描かれているのが「政治」ですが、第五講の政治にかんするくだりは、二〇〇五年にパムクがトルコによるアルメニア人とクルド人の虐殺について発言したのち、国家侮辱罪で起訴された事実を頭において読むと、パムクの見方が腑に落ちるかもしれません。

パムクは一九五二年にイスタンブールで生まれ、一九八五年から八八年までの三年間をニューヨークで過ごしたほかはずっとイスタンブールに住んでいます。二十二歳までは画家をめざし、イスタンブール工科大学で建築を学びましたが、画家を断念したことで転向し、イスタンブール大学でジャーナリズムの学位をとりました。就職はせずに小説の執筆に専念し、一九八二年のデビュー作『ジェヴデット氏と息子たち』(未訳)で、権威あるオルハン・ケマル小説賞を受賞しました。三作目の『白い城』(一九八五年)が多くの国で翻訳されて国際的な評価を得て以来、着実に作家としての国際的な地位を確立し、六作目の『わたしの名は赤』(一九九八年)は国際IMPACダブリン文学賞を受けたほか、フランスとイタリアでも文学賞を受賞しました。『雪』(二〇〇二年)も世界的な話題作となり、自伝的要素を絡めて都市の肖像を描いた『イスタンブール』(二〇〇三年)も含め、その後の作品も高い評価を得ています。

左にあげたように、小説十作品のうち八作品と『イスタンブール』、それにノーベル文学賞受賞講演が日本語に翻訳されています。パムクは本書で自らの著作にもたびたび言及していますので、その言葉が作品世界へと導いてくれる道しるべとなることと思います。

『白い城』宮下遼・宮下志朗訳、藤原書店
『黒い本』鈴木麻矢訳、藤原書店
『新しい人生』安達智英子訳、藤原書店
『わたしの名は赤』上下巻、宮下遼訳、ハヤカワ epi 文庫
『雪』上下巻、宮下遼訳、ハヤカワ epi 文庫
『無垢の博物館』上下巻、宮下遼訳、早川書房
『僕の違和感』上下巻、宮下遼訳、早川書房
『赤い髪の女』宮下遼訳、早川書房
『イスタンブール――思い出とこの町』和久井路子訳、藤原書店
『父のトランク――ノーベル文学賞受賞講演』和久井路子訳、藤原書店

もとが英語で行われた講義ということで、ナーズム・ディクバシュ訳の英語版から訳出しました。ひとつのキーワードが文脈によって異なる意味で使われているケースがあり、キーワードの存在感を保ちつつ、すんなり意味を伝えるためにルビを使用しています。とくに訳語に苦心したのは「ナイーヴ」で、日本語では肯定的な意味で使われる傾向がありますが、英語ではどちらかというと否定的なニュアンスを帯びることが多く、本書では肯定的にも否定的にもなりえる中立的な言葉を求めて、メインの訳語を「直感的」としてみました。

最後に、この本に出会わせてくださった岩波書店の奈倉龍祐さんに感謝申しあげます。

二〇二一年六月

山崎暁子

オルハン・パムク Orhan Pamuk
1952年，イスタンブール生まれ．イスタンブール工科大学で建築を学んだ後，イスタンブール大学でジャーナリズムの学位を修得．82年『ジェヴデット氏と息子たち』でデビュー．98年発表の『わたしの名は赤』で国際IMPACダブリン文学賞等を受賞．2002年発表の『雪』でメディシス賞外国小説部門受賞．06年には「故郷の街のメランコリックな魂を追い求めるなかで，文化の衝突と混交の新たな象徴を見出した」としてノーベル文学賞を受賞．

山崎暁子
法政大学文学部教授．専門はイギリス児童文学．訳書にジャネット・フレイム『潟湖(ラグーン)』，ポール・オースター編『ナショナル・ストーリー・プロジェクト』(共訳)，マルカム・ラウリー『火山の下』(共訳)，ポール・オースター／J. M. クッツェー『ヒア・アンド・ナウ 往復書簡 2008-2011』(共訳)，ジュリアン・バーンズ『アーサーとジョージ』(共訳)．

パムクの文学講義——直感の作家と自意識の作家
オルハン・パムク

2021年8月5日 第1刷発行

訳 者 山崎暁子（やまざきあきこ）

発行者 坂本政謙

発行所 株式会社 岩波書店
〒101-8002 東京都千代田区一ツ橋2-5-5
電話案内 03-5210-4000
https://www.iwanami.co.jp/

印刷・法令印刷 カバー・半七印刷 製本・牧製本

ISBN 978-4-00-061484-9 Printed in Japan

パリ・レヴュー・インタヴューI
作家はどうやって小説を書くのか、じっくり聞いてみよう!
青山南 編訳
四六判四一四頁
定価三五二〇円

パリ・レヴュー・インタヴューII
作家はどうやって小説を書くのか、たっぷり聞いてみよう!
青山南 編訳
四六判三九八頁
定価三五二〇円

カルヴィーノ アメリカ講義
——新たな千年紀のための六つのメモ
米川良夫
和田忠彦 訳
岩波文庫
定価九二四円

詩という仕事について
J・L・ボルヘス
鼓直 訳
岩波文庫
定価七二六円

ウンベルト・エーコ 小説の森散策
和田忠彦 訳
岩波文庫
定価一〇一二円

岩波書店刊

定価は消費税10%込です
2021年8月現在

廬山高
廬山高高乎哉鬱然二百五十里之盤踞岌乎二千三百丈之龍嵸
謂即敷淺原培塿何敢爭其雄西來天塹濯其足雲霞日夕吞吐
乎其胸回崖沓嶂鬼手擘㶉道千丈開鴻濛瀑流淙淙瀉不
極雷霆殷地聞者耳欲聾時有落葉於其間直下彭蠡流
霜紅金膏水碧不可覓石林幽黑號綠熊其陽
諸峯五老人或疑緯星之精墜自空陳夫子
今仲弓世家廬之下有元厥祖遷江東
尚知廬靈有默契不遠千里鍾于公公
亦西望懷故都便欲往依五老巢雲松
昔聞紫陽妃六老不妨添公相與成七翁我嘗遊公門
仰公彌高廬不崇丘園肥遯七十禩著作撐𢁉白髮如
秋蓬文能合墳詩合雅自得樂地於其中榮名利祿
雲過眼上不作書自薦下不公相通公乎浩蕩在物表
黃鵠高舉淩天風
成化丁亥端陽日門生長洲沈周詩畫敬為
醒庵有道尊先生壽